Systematische Natuurkunde

havo 4

kernboek B

Ontwerp en opmaak omslag en binnenwerk: Studio Bassa, Culemborg
Redactie: Mariska Vonk, Utrecht

ThiemeMeulenhoff ontwikkelt leermiddelen voor Primair Onderwijs,
Voortgezet Onderwijs, Beroepsonderwijs en Volwasseneneducatie en
Hoger Onderwijs

Meer informatie over ThiemeMeulenhoff en een overzicht van onze
leermiddelen:
www.thiememeulenhoff.nl of via onze klantenservice (088) 800 20 15
www.sysnat.nl

ISBN 978 90 425 3638 8
Eerste druk, zesde oplage, 2011

© ThiemeMeulenhoff, Amersfoort, 2006

Systematische Natuurkunde

Hans van Baalen
drs. ir. Geert van Eekelen
drs. René de Jong
dr. ir. Koert van der Lingen
dr. ir. Evert-Jan Nijhof
drs. Harrie Ottink
ir. Frans Tiemeijer
drs. Jacqueline Wooning

onder eindredactie van
drs. Frits Jansens
drs. Maarten van Woerkom

havo 4
kernboek B

ThiemeMeulenhoff

Inhoud

5

Licht

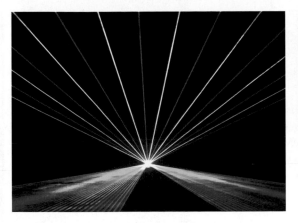

Lichtstralen lopen rechtdoor, maar meestal zie je de straal niet. Hoe komt het dat je de lichtbundels bij de lasershow op de foto wel kunt zien? Omdat laserstralen zo smal zijn en over lange afstand hun intensiteit behouden, worden ze gebruikt in shows, maar ook in wetenschappelijke experimenten en in de techniek. Hoe wordt een laserstraal bijvoorbeeld ingezet bij een cd-speler?

In het aquarium hierboven zie je links en rechts van de hoek een goudgele vis. In werkelijkheid zie je hier twee keer dezelfde vis. Hetzelfde geldt voor de vissen linksboven de goudgele vis en de planten in de hoek van het aquarium. Hoe is het mogelijk dat je die vissen en planten twee keer ziet, terwijl ze er echt maar één keer zijn?

Als het wisselvallig weer is, is de kans groot dat je een regenboog ziet. Hoe ontstaan die kleuren eigenlijk? Waarom moet je de zon in de rug hebben om de regenboog te zien? Waarom is het einde van de regenboog onbereikbaar? Soms zien we een tweede regenboog. De volgorde van de kleuren is bij deze boog net andersom.

Onze ogen zorgen er samen met onze hersenen voor dat wij onze omgeving kunnen zien. Het licht dat van voorwerpen om ons heen komt, wordt opgevangen door onze ogen. Wat gebeurt er in onze ogen met dit licht? Hoe komt het dat je voorwerpen scherp kunt zien? Sommige voorwerpen zijn echter te klein of gedetailleerd om met het blote oog goed te kunnen zien. In dat geval kun je gebruik maken van een loep.

Heb je je wel eens gerealiseerd hoe het is om blind te zijn? Dan kun je dit boek niet lezen, kun je je televisie wel weg doen en foto's maken van je vakantie is zinloos. En je weet nooit of je er netjes uitziet. Je kunt je haar wel kammen, maar je ziet in de spiegel niet wat het resultaat is. Wil je ervaren wat een blinde ervaart, doe dan het licht maar eens uit als het donker is.

Lichtbronnen
Licht komt uit een lichtbron. De belangrijkste en meest bekende lichtbron is de zon, een natuurlijke lichtbron. Daarnaast zijn er veel kunstmatige lichtbronnen uitgevonden. Enkele voorbeelden zijn de fakkel, de olielamp, de gloeilamp en de tl-buis.

Voortplanting van licht
Om een voorwerp te kunnen zien, moet er aan twee voorwaarden zijn voldaan. Allereerst moet er licht zijn. Ten tweede moet het licht via het voorwerp in je ogen terechtkomen. Zo is er in een verduisterde kamer niets te zien, omdat er geen licht aanwezig is. En een voorwerp dat achter een scherm staat is niet te zien, omdat het licht je ogen niet bereikt.

De foto van figuur 5.1a toont een laser die op een wit scherm gericht is. Op het scherm is een rood puntje te zien. Wat we niet zien, is het licht dat vanuit de laser naar het scherm gaat.

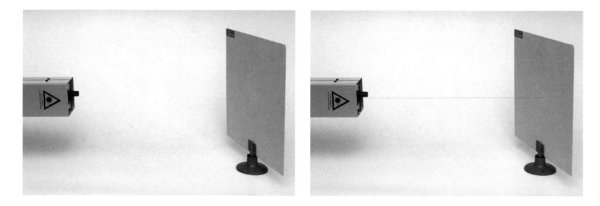

Figuur 5.1a en 5.1b

Dit kunnen we wel zichtbaar maken door een stof- of rookwolk tussen de laser en het scherm te blazen. Dit is gedaan in figuur 5.1b. Er is nu een smalle rode bundel te zien die de laser en het rode puntje met elkaar verbindt. Het is goed te zien dat de bundel recht is. De beweging van het licht kunnen we niet waarnemen. Dit komt omdat de snelheid van het licht gelijk is aan $3,00 \cdot 10^8$ m/s. Deze snelheid is zo groot dat het lijkt of het licht er onmiddellijk is.

Figuur 5.1c en 5.1d

Plaatsen we een stukje karton tussen de laser en het scherm dan verdwijnt het puntje op het scherm. Zie figuur 5.1c. Nemen we een stukje glas dan blijft dat puntje zichtbaar. Dit is te zien in figuur 5.1d. Blijkbaar gaat het licht niet door het karton maar wel door het glas.

Hieruit kunnen we de conclusie trekken dat licht door sommige stoffen wordt doorgelaten en door andere stoffen niet. De lichtdoorlatende stoffen noemen we *transparant*.

Schaduwvorming

Als een voorwerp zich tussen een lichtbron en een muur bevindt dan zien we op de muur meestal een donkere vlek in de vorm van het voorwerp. De vlek noemen we de schaduw van het voorwerp. De schaduw ontstaat omdat het voorwerp het licht niet doorlaat en het licht de muur niet kan bereiken.

Figuur 5.2

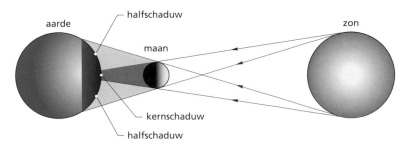

In figuur 5.2 is de situatie te zien bij een zonsverduistering. De maan bevindt zich tussen de zon en de aarde. Daardoor kan een deel van het licht van de zon de aarde niet bereiken. Op het gedeelte van de aarde waar de zon volledig verduisterd is, valt helemaal geen licht. Dit noemen we de *kernschaduw*. Op het gedeelte waar de zon gedeeltelijk verduisterd is, valt wel licht van één zijde van de zon. Licht van de bovenkant van de zon bereikt namelijk wel de bovenkant van de aarde, maar licht van de onderkant van de zon bereikt de bovenkant van de aarde niet. Op aarde wordt het dus wel donkerder, maar niet volledig. Dit wordt de *halfschaduw* genoemd.

Lichtbundels

In figuur 5.1b zien we een smalle rechte lichtbundel uit de laser komen. Deze lichtbundel blijft over de gehele lengte even breed en wordt daarom een *evenwijdige lichtbundel* genoemd. In figuur 5.2 is een lichtbundel getekend die begint op de bovenkant van de zon en die naar links toe steeds breder wordt. Zo'n bundel wordt een *divergente lichtbundel* genoemd. Een lichtbundel die steeds smaller wordt, wordt een *convergente lichtbundel* genoemd. In figuur 5.3 zijn de verschillende lichtbundels nog eens getekend.

Figuur 5.3a en 5.3b

Figuur 5.3c

Figuur 5.3d en 5.3e

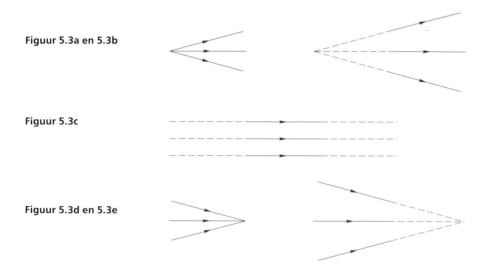

Weerkaatsing van licht

Als licht op een glad oppervlak valt, kan het worden weerkaatst. Dit wordt getoond in figuur 5.4. De laserstraal is op een spiegel gericht. De spiegel weerkaatst het licht naar het scherm. Dit soort weerkaatsing noemen we *spiegelende weerkaatsing.*

Figuur 5.4 en 5.5

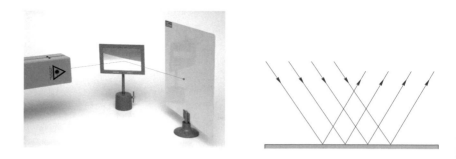

In figuur 5.5 is schematisch getekend wat er gebeurt. De lichtbundel van een laser bestaat uit evenwijdige lichtstralen. Deze lichtstralen worden door het gladde spiegeloppervlak allemaal op dezelfde manier weerkaatst. De lichtbundel die van de spiegel af komt is nog steeds evenwijdig.

Er bestaat ook een ander soort weerkaatsing. Dit is te zien in figuur 5.6. Doordat het oppervlak waarop de evenwijdige lichtbundel valt ruw is,

Figuur 5.6

worden de lichtstralen niet allemaal op dezelfde manier weerkaatst. De lichtstralen vormen geen evenwijdige bundel meer maar een divergente lichtbundel. Dit soort weerkaatsing wordt *diffuse weerkaatsing* genoemd. Diffuse weerkaatsing treedt bijvoorbeeld op bij papier. Doordat het licht alle kanten op wordt weerkaatst, is het papier van alle kanten te bekijken. We zien voorwerpen omdat ze het licht diffuus weerkaatsen.

Bij spiegelende terugkaatsing hebben we te maken met de *terugkaatsingswet*. In figuur 5.7 wordt dit duidelijk gemaakt.

Figuur 5.7

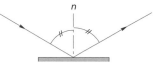

Een lichtstraal valt vanaf de linkerkant in op het spiegelende oppervlak. Op de plaats waar de lichtstraal het oppervlak raakt, is een lijn getekend die loodrecht op het oppervlak staat. Die lijn wordt de *normaal* genoemd. De hoek die de invallende lichtstraal maakt met de normaal is aangegeven met een *i*. Deze hoek wordt *de hoek van inval* genoemd. De hoek die de teruggekaatste lichtstraal met de normaal maakt, heet *de hoek van terugkaatsing* en wordt aangegeven met *t*. De terugkaatsingswet zegt dat hoek *t* gelijk is aan hoek *i*.

Spiegelbeeld

In figuur 5.8a is in bovenaanzicht een lampje L voor een spiegel getekend. Vanaf het lampje gaat een divergente lichtbundel naar de spiegel. Van de bundel zijn de lichtstralen aan de rand getekend. We noemen ze de randstralen. Om te weten hoe randstralen weerkaatst worden, wordt een normaal getekend op de plaats waar deze stralen de spiegel treffen. Daarna worden de weerkaatste lichtstralen getekend volgens de spiegelwet. Dit is gedaan in figuur 5.8b.

Figuur 5.8a, 5.8b en 5.8c

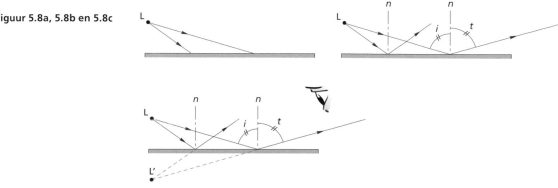

Iemand die in de spiegel kijkt, ziet het spiegelbeeld van de lamp. Het lijkt voor die persoon alsof de lamp achter de spiegel staat. Trekken we de weerkaatste lichtstralen naar links door dan vinden we een snijpunt L'.

Dat is het spiegelbeeld van de lamp. Zie figuur 5.8c. Meten we de afstand van de lamp tot aan de spiegel en de afstand van de spiegel tot aan het spiegelbeeld, dan vinden we dezelfde waarde. Het spiegelbeeld staat net zo ver achter de spiegel als het voorwerp voor de spiegel staat.

Nu kunnen we op een andere manier de weerkaatsing van lichtstralen tekenen. In figuur 5.9a is dezelfde situatie weergegeven als in figuur 5.8a, maar in figuur 5.9a is bovendien het spiegelbeeld L' van L getekend.
De plaats van L' is geconstrueerd door de afstand van L tot de spiegel te verdubbelen.
Daarna tekenen we de weerkaatste lichtstralen. Zie figuur 5.9b.
De weerkaatste lichtstralen schijnen uit L' te komen. Merk op dat het verlengde van de weerkaatste stralen van L' tot de spiegel gestippeld is.

Figuur 5.9a en 5.9b

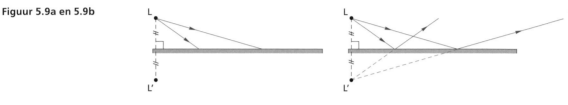

Het ontstaan van een spiegelbeeld bij een vlakke spiegel
Bepaal zelf het verband tussen de hoek van de invallende lichtstraal en de hoek van de teruggekaatste lichtstraal.
Bepaal het verband tussen de plaats van een voorwerp ten opzichte van een spiegel en de plaats van het spiegelbeeld.

Reëel en virtueel beeld

Het spiegelbeeld van een voorwerp kunnen we niet aanraken of op een scherm projecteren. We kunnen het alleen maar zien 'in de spiegel'. Zo'n beeld dat alleen maar te zien is en niet te projecteren noemen we een *virtueel beeld*. Als je door een vergrootglas kijkt, zie je ook een virtueel beeld. Een beeld dat wel op een scherm geprojecteerd kan worden, noemen we een *reëel beeld*. Reële beelden treffen we aan in de bioscoop op het doek en bij een fototoestel op de film of de chip.

Absorptie

Absorberen van licht betekent dat het licht wordt opgenomen door de stof waar het licht op valt. Het licht wordt dan omgezet in warmte. Als je in de zon loopt in een zwarte jas, krijg je het warmer dan met een witte jas. De zwarte jas absorbeert zonlicht en de witte weerkaatst juist veel licht.

Als licht op een stof valt kunnen er dus drie dingen met het licht gebeuren:
– licht kan worden doorgelaten, zoals is aangetoond met het glasplaatje;
– licht kan ook worden weerkaatst en wel op twee manieren;
– licht kan worden geabsorbeerd, bijvoorbeeld door een kartonnetje.

- Licht verplaatst zich langs rechte lijnen. Zo'n lijn heet een lichtstraal
- Een lichtbundel is een verzameling van lichtstralen. Een lichtbundel kan divergent, convergent of evenwijdig zijn.
- Licht kan doorgelaten, geabsorbeerd of weerkaatst worden.
- Er zijn twee manieren van weerkaatsing: diffuus en spiegelend.
- Bij spiegelende weerkaatsing liggen de invallende lichtstraal, de normaal en de teruggekaatste lichtstraal in één vlak.
- Bij spiegelende weerkaatsing geldt dat de hoek van terugkaatsing even groot is als de hoek van inval.
- Het spiegelbeeld van een voorwerp ligt op dezelfde afstand achter de spiegel als het voorwerp voor de spiegel.
- Een beeld kan reëel zijn of virtueel. Een reëel beeld kan geprojecteerd worden op een scherm. Een virtueel beeld kun je alleen zien.

Vragen

1. a Hoe wordt een stof genoemd die licht doorlaat?
   b Noem vier stoffen die licht doorlaten.

2. Leg uit wat het verschil is tussen spiegelende terugkaatsing en diffuse terugkaatsing.

3. Hoe groot is de snelheid van het licht?

4. Licht kan doorgelaten en weerkaatst worden. Wat kan er nog meer met licht gebeuren?

5. Teken de drie soorten lichtbundels en zet de naam er bij.

6. Op welke afstand ligt het spiegelbeeld van een voorwerp achter de spiegel?

7. Wat wordt bedoeld met de normaal?

8. Hoe luidt de terugkaatsingswet?

9. Op een windstille zomeravond zie je de ondergaande zon weerspiegeld in een meer. Is de invalshoek van de zonnestralen dan groot of juist klein? Licht je antwoord toe.

Opgaven

10. In deze paragraaf heb je kunnen lezen dat de snelheid van het licht $3{,}00 \cdot 10^8$ m/s is. De ster die het dichtst bij de aarde staat (op de zon na) is Proxima Centauri. Deze ster staat op een afstand van $4{,}03 \cdot 10^{16}$ m.

a   Bereken hoe lang het licht, dat je 's nachts van deze ster kunt zien, onderweg is geweest.

In boeken over sterrenkunde wordt de afstand van een ster nogal eens in 'lichtjaar' opgegeven. Een lichtjaar is de afstand die het licht in een jaar aflegt.

b   Bereken op hoeveel lichtjaar Proxima Centauri van ons af staat.

11 Gebruik het werkboek voor het maken van deze opgave.
In figuur 5.10 stellen L_1 en L_2 twee puntvormige lichtbronnen voor.

Figuur 5.10

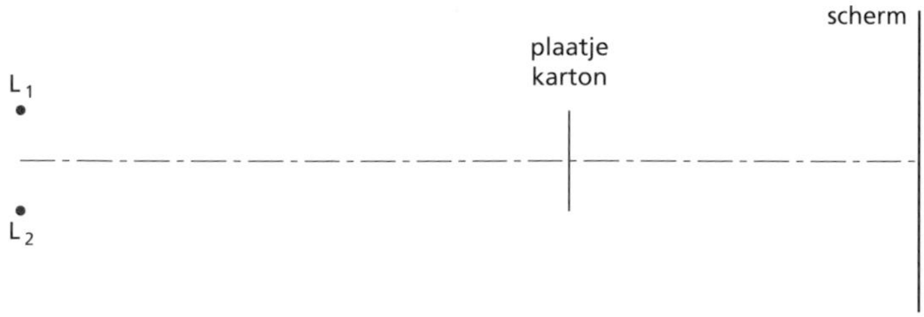

scherm

plaatje
karton

L_1

L_2

a   Geef in het werkboek in figuur W5.1 het gebied aan waar het karton op het scherm een schaduw veroorzaakt als alleen L_1 brandt.

b   Idem als alleen L_2 brandt.

c   Beschrijf het schaduwbeeld op het scherm als L_1 en L_2 allebei branden.

d   Geef in figuur W6.1 met een K aan waar sprake is van de kernschaduw en met een H waar sprake is van halfschaduw.

L_1 en L_2 zijn nu de uiteinden van een lijnvormige lichtbron.

e   Is het schaduwbeeld nu veranderd? Zo ja, beschrijf de veranderingen.

12 Gebruik het werkboek voor het maken van deze opgave.
Een lichtbundel kan worden verbreed door die bundel tegen een rond gepolijst metalen staafje te laten terugkaatsen. De in figuur 5.11 getekende lichtstralen begrenzen de opvallende bundel.

Figuur 5.11

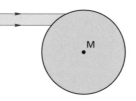

a M

Teken in het werkboek in figuur W5.2 de loop van de lichtstralen die de teruggekaatste bundel begrenzen.

13 Gebruik het werkboek voor het maken van deze opgave.
In een onderzeeboot gebruikt men onder water een periscoop om boven water te kunnen kijken. In figuur 5.12 is een periscoop afgebeeld. In een periscoop zitten twee spiegels, één bovenin en één onderin de buis. In de figuur is ook een bootje getekend. Er lopen twee lichtstralen, p en q, van het bootje horizontaal naar de periscoop.

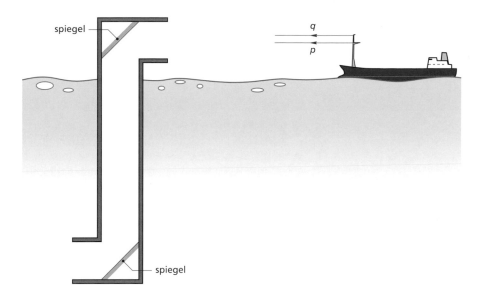

a Teken in het werkboek in figuur W5.3 hoe lichtstraal p vanaf het bootje door de periscoop loopt.

Iemand kijkt vanuit de duikboot door de periscoop naar het bootje. Hij ziet het bootje rechtop.

b Leg met behulp van de loop van straal q uit waarom dat zo is.

5.2   Breking van licht

Als een lichtbundel scheef op een doorzichtige stof valt verandert de richting van de doorgaande bundel. In figuur 5.13 valt een smalle evenwijdige lichtbundel van linksboven op de zijkant van een perspex blok. De bundel knikt bij het bovenste grensvlak, loopt dan naar het onderste zijvlak en knikt daar weer. Die verandering van de richting van de lichtstraal noemen we *breking van licht*.

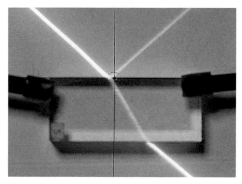

Figuur 5.13

Op de foto is ook te zien dat de lichtstraal die op het perspexblok valt, gedeeltelijk wordt teruggekaatst. Het gedeelte dat teruggekaatst wordt, voldoet aan de terugkaatsingswet. We besteden in deze paragraaf verder geen aandacht aan het teruggekaatste gedeelte.

Op de foto van figuur 5.13 is voor de breking gebruik gemaakt van een blok perspex. Het onder- en bovenvlak zijn de brekende vlakken. Deze vlakken zijn recht en lopen parallel. Men noemt ze daarom *planparallel*. Het blok is een planparallelle plaat. De ruiten in een huis zijn ook planparallelle platen.

Breking van licht in perspex blokken
Bestudeer het verschijnsel breking in een doorzichtig rechthoekig blok. Vergelijk de richting van de uit het rechthoekige blok komende lichtstraal met de richting van de op het blok vallende straal.
Bepaal de brekingsindex van een doorzichtige stof.
Bestudeer de breking van een lichtstraal aan een prisma door voor verschillende situaties de stralengang in en buiten het prisma te tekenen.

Het blijkt dat je bij gebruik van wit licht soms kleuren ziet. Probeer er achter te komen wanneer dat effect bij een bepaald prisma het grootst is.

In figuur 5.14 is de foto van figuur 5.13 schematisch getekend. De lichtstraal die op de foto van linksboven naar rechtsonder liep is in figuur 5.14 weergegeven met ABCD. Op het punt B waar de lichtstraal het perspex raakt is een normaal getekend. Evenals bij spiegeling noemen we de hoek die de lichtstraal maakt met de normaal de hoek van inval. De hoek die de gebroken lichtstraal maakt met de normaal noemen we de *hoek van breking*. Deze wordt aangegeven met de letter r van refractie; refractie betekent breking.

Figuur 5.14

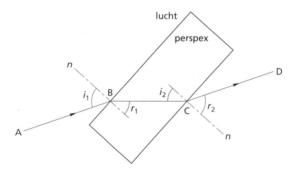

Kijken we naar punt B dan zien we dat r_1 kleiner is dan i_1. Dit betekent dat de lichtstraal geknikt is in de richting van de normaal. Dit heet breking naar de normaal toe. Bij punt C gebeurt het omgekeerde, r_2 is groter dan i_2. Dit heet breking van de normaal af.

Het gedeelte CD van de lichtstraal loopt parallel aan het gedeelte AB. Hoek i_2 en hoek r_1 vormen Z-hoeken en zijn dus gelijk. Hieruit volgt dat r_2 ook gelijk is aan i_1. Dit betekent dat bij punt C de breking van perspex naar lucht precies tegengesteld is aan de breking bij B van lucht naar perspex. En daaruit volgt dat bij breking de loop van de lichtstralen mag worden omgekeerd.

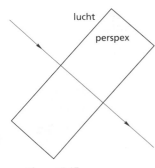
lucht

perspex

Figuur 5.15

Bij loodrechte inval hebben we te maken met een speciaal geval, zie figuur 5.15. Als de hoek van inval gelijk is aan 0° dan kan de hoek van breking niet kleiner zijn dan de hoek van inval. De hoek van breking is dan ook 0° en de richting van de lichtstraal verandert niet.

Brekingswet

In figuur 5.16 is een opstelling te zien met een halfronde schijf van perspex. De schijf ligt op een cirkelvormige plaat met gradenverdeling. Het midden van de vlakke kant ligt precies op het middelpunt van de gradenboog. De lichtstraal valt in vanaf de linkerkant en raakt de vlakke kant van het halfronde stuk perspex precies in het middelpunt van de gradenboog. De lijn bij 0° is nu de normaal. De hoek van inval kan worden afgelezen op de linkerkant van de gradenboog. Aan de vlakke zijde van het perspex treedt breking op. De lichtstraal raakt daarna de halfronde kant van het perspex loodrecht. Er treedt dan geen breking op. Op de rechterkant van de gradenboog kan dus de hoek van breking *in het perspex* worden afgelezen. Bij verschillende invalshoeken kan zo de hoek van breking gemeten worden. De meetresultaten zijn weergegeven in tabel 5.1.

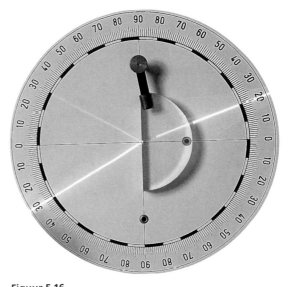

Figuur 5.16

Tabel 5.1

i (°)	r (°)	$\dfrac{i}{r}$	$\sin i$	$\sin r$	$\dfrac{\sin i}{\sin r}$
0	0,0	–	0	0	–
10,0	6,5	1,54	0,174	0,113	1,54
20,0	13,5	1,48	0,342	0,233	1,47
30,0	19,5	1,54	0,500	0,334	1,50
40,0	25,5	1,57	0,643	0,431	1,49
50,0	31,0	1,61	0,766	0,515	1,49
60,0	35,5	1,69	0,866	0,581	1,49
70,0	39,0	1,79	0,940	0,629	1,49
80,0	41,0	1,95	0,985	0,656	1,50

Uit de resultaten van tabel 5.1 blijkt het volgende:

- Bij de overgang van lucht naar een andere stof treedt breking op naar de normaal toe;
- Als de hoek van inval groter wordt, wordt de hoek van breking ook groter;
- De hoek van inval en de hoek van breking zijn niet rechtevenredig;
- De sinus van de hoek van inval en de sinus van de hoek van breking zijn wel rechtevenredig. Oftewel de verhouding tussen sin i en sin r is constant;
- Bij de overgang van lucht naar stof is die constante groter dan 1.

Deze conclusies werden in 1618 al getrokken door de Nederlandse wiskundige Willibrord Snel van Royen. De constante verhouding tussen sin i en sin r noemen we de *brekingsindex* en geven we aan met n. Omdat de brekingsindex een verhouding aangeeft, heeft hij geen eenheid. Herhalen we de proef met ander materiaal dan kunnen we nog steeds dezelfde conclusies trekken, maar de constante heeft een andere waarde. Dit betekent dat de brekingsindex afhankelijk is van het materiaal waarin het licht wordt gebroken. Gaat een lichtstraal van stof A naar stof B dan geldt:

$$n_{A \rightarrow B} = \frac{\sin i}{\sin r}$$

- $n_{A \rightarrow B}$ is de brekingsindex voor de overgang van stof A naar stof B.
- i is de hoek van inval in stof A.
- r is de hoek van breking in stof B.

De formule staat bekend als de *brekingswet* van Snellius.

Om materialen met elkaar te vergelijken, wordt bij een stof altijd de brekingsindex opgegeven voor de breking van vacuüm naar die stof. Dit wordt genoteerd als n_{stof}. Omdat er bij de overgang vanuit vacuüm naar lucht vrijwel geen breking optreedt, wordt deze waarde ook gebruikt voor de overgang van lucht naar de stof.

Uit de meetresultaten vinden we $n_{perspex} = 1{,}49$.

Breking bij de overgang van stof naar lucht

Uit figuur 5.14 bleek dat de loop van de lichtstralen mag worden omgedraaid bij breking. In figuur 5.17 is dat getekend.

Figuur 5.17a en 5.17b

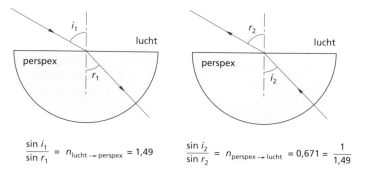

$$\frac{\sin i_1}{\sin r_1} = n_{lucht \rightarrow perspex} = 1{,}49 \qquad \frac{\sin i_2}{\sin r_2} = n_{perspex \rightarrow lucht} = 0{,}671 = \frac{1}{1{,}49}$$

In figuur 5.17b geldt voor de overgang van perspex naar lucht:

$$n_{\text{perspex}\rightarrow\text{lucht}} = \frac{\sin i_2}{\sin r_2}$$

Vergelijken we de figuren 5.17a en 5.17b dan zien we dat wat in figuur a de hoek van inval is, in figuur b de hoek van breking is. En wat in figuur a de hoek van breking is, is in figuur b de hoek van inval. Omdat de hoeken zijn verwisseld, geldt er voor de brekingsindex:

$$n_{\text{perspex}\rightarrow\text{lucht}} = \frac{1}{n_{\text{lucht}\rightarrow\text{perspex}}}$$

De brekingsindex bij de overgang van perspex naar lucht is gelijk aan:

$$\frac{1}{1,49} = 0,671$$

Totale terugkaatsing

De hoek van inval en de hoek van breking kunnen nooit groter worden dan 90°. Als één van deze hoeken gelijk is aan 90°, dan loopt de invallende of uittredende lichtstraal evenwijdig aan het scheidingsoppervlak. We zeggen 'de lichtstraal *scheert* over het oppervlak'. Omdat bij de overgang van lucht naar stof de hoek van breking altijd kleiner is dan de hoek van inval treedt er bij iedere hoek van inval ook breking op.

Bij de overgang van stof naar lucht is de hoek van breking altijd groter dan de hoek van inval. Dit is te zien bij de lichtstralen 2 en 3 in figuur 5.18. Bij lichtstraal 4 is de hoek van breking gelijk aan 90°. De hoek van inval is dan nog geen 90°.

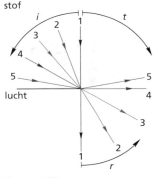

De hoek van inval kan nog groter gemaakt worden. Dit is gedaan bij lichtstraal 5. De hoek van breking zou nu groter moeten worden dan 90°. Dit is niet mogelijk. Er is geen uittredende lichtstraal meer. Uit proeven blijkt dat al het invallende licht nu

Figuur 5.18

wordt teruggekaatst volgens de terugkaatsingswet. Dit verschijnsel wordt *totale terugkaatsing* genoemd. De hoek van inval waarbij de hoek van breking gelijk is aan 90° wordt de *grenshoek g* genoemd.
De grenshoek is te berekenen als de brekingsindex van de stof bekend is. Invullen in de brekingswet geeft namelijk:

$$n_{\text{stof}\rightarrow\text{lucht}} = \frac{\sin g}{\sin 90°} = \frac{1}{n_{\text{lucht}\rightarrow\text{stof}}} = \frac{1}{n_{\text{stof}}}$$

De sinus van 90° is gelijk aan 1. Invullen in de formule hierboven geeft dan:

$$\sin g = \frac{1}{n_{\text{stof}}}$$

Voorbeeld

De brekingsindex van perspex is 1,49.

Invullen geeft $\sin g = \dfrac{1}{1,49}$. Hieruit volgt $g = 42,2°$.

Voor een lichtstraal die van perspex naar lucht gaat, geldt het volgende:
- Is de hoek van inval groter dan $42,2°$ dan treedt er totale terugkaatsing op.
- Is de hoek van inval kleiner dan $42,2°$ dan treedt er breking op. Een gedeelte van het licht wordt nog wel teruggekaatst.

Samenvatting
- Als een lichtstraal van de ene stof naar de andere stof gaat dan verandert de richting van de straal. Men noemt dat breking van licht.
- De invalshoek i van een lichtstraal is de hoek tussen de op een oppervlak invallende straal en de normaal; de brekingshoek r is de hoek tussen de uittredende straal en de normaal.
- Bij de overgang van lucht naar een stof treedt breking op naar de normaal toe, $r < i$.
- Voor de breking geldt:

$$\frac{\sin i}{\sin r} = \text{constant}$$

De constante noemt men de brekingsindex n voor de overgang
- Gaat een lichtstraal van stof A naar stof B dan geldt:

$$n_{A \rightarrow B} = \frac{\sin i}{\sin r}$$

- De brekingsindex die hoort bij de overgang van vacuüm naar een stof (of van lucht naar die stof) noemt men *de* brekingsindex van de stof:

$$n_{\text{lucht} \rightarrow \text{stof}} = n_{\text{stof}}$$

- Bij de overgang van stof naar lucht treedt breking op van de normaal af, $r > i$.
- Voor de brekingsindex geldt:

$$n_{\text{stof} \rightarrow \text{lucht}} = \frac{1}{n_{\text{stof}}}$$

- Bij de overgang van stof naar lucht is de brekingsindex altijd kleiner dan 1.
- Bij de overgang van stof naar lucht is er een maximale hoek van inval waarbij er nog breking optreedt, de grenshoek g. De hoek van breking is dan $90°$.
- Voor de grenshoek geldt:

$$\sin g = \frac{1}{n_{\text{stof}}}$$

Hierin is n_{stof} de brekingsindex bij de overgang van vacuüm naar de stof.
- Als de hoek van inval groter is dan de grenshoek dan treedt er totale terugkaatsing op.
- Bij totale terugkaatsing geldt de terugkaatsingswet.

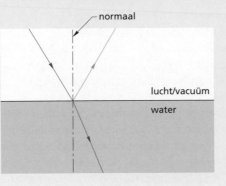

Applet

Breking van een lichtstraal
Hoe breekt een lichtstraal bij het passeren van het grensvlak tussen twee stoffen? Welke wetmatigheden treden er bij de breking op? Wanneer vindt totale terugkaatsing plaats?
Op dit soort vragen kun je met deze applet een antwoord vinden.
De applet staat op www.sysnat.nl. De opdrachten bij deze applet zijn te vinden in het werkboek.

Figuur 5.19

normaal

lucht/vacuüm

water

Vragen

14 Als een lichtstraal vanuit de lucht een wateroppervlak treft, kan er op de overgang van lucht naar water breking optreden.
   a Wat houdt het verschijnsel breking in?
   b Is de breking 'naar de normaal toe' of 'van de normaal af'?
   c In welk geval treedt er bij de overgang van lucht naar water geen breking op?

15 Met welke letter wordt de hoek van breking aangeduid?

16 Als er breking optreedt van de normaal af, is de brekingsindex dan groter of kleiner dan 1?

17 In de tekst wordt het verschijnsel 'totale terugkaatsing' besproken.
   a Wat houdt het verschijnsel totale terugkaatsing in?
   b Wat weet je over de hoek van inval bij het verschijnsel totale terugkaatsing?
   c Kan er totale terugkaatsing optreden bij de overgang van lucht naar een stof?
   d Kan er totale terugkaatsing optreden bij de overgang van een stof naar lucht?

18 Een optische schijf bevindt zich voor de helft in een vloeistof. Zie figuur 5.20.

Figuur 5.20

Bepaal aan de hand van deze foto de brekingsindex van die vloeistof.

19 Een lichtstraal valt vanuit lucht op een bepaalde glassoort. De hoek van inval is 35°. De brekingsindex van dit glas is 1,60.
   a Bereken hoe groot de hoek van breking is.
   b Bereken hoe groot de brekingsindex is voor de overgang van dit glas naar lucht.
   Een lichtstraal gaat van glas naar lucht. De invalshoek is weer 35°.
   c Bereken hoe groot nu de hoek van breking is.

A | B

20 **Gebruik het werkboek voor het maken van deze opgave.**
   Het grensvlak van twee doorschijnende stoffen A en B wordt vanuit A door twee lichtstralen getroffen. Dit is getekend in figuur 5.21. De brekings-index voor de overgang van A naar B is 0,671.
   a Bepaal in het werkboek in figuur W5.4 hoe groot bij lichtstraal *a* de hoek van inval is.
   b Leg uit of bij lichtstraal *a* breking 'van de normaal af' of 'naar de normaal toe' optreedt.
   c Teken in figuur W5.4 hoe lichtstraal *a* in stof B verder loopt.
   d Teken in figuur W5.4 hoe lichtstraal *b* verder gaat.

21 **Gebruik het werkboek voor het maken van deze opgave.**
   In een glazen bak die met water is gevuld staat een vlakke metalen plaat. Zie figuur 5.22. De plaat maakt een hoek van 60° met de bodem van de bak en werkt als een spiegel. Vanuit een lichtkastje valt een lichtstraal loodrecht op de zijwand van de glazen bak. De brekingsindex van water is 1,33.

Figuur 5.21

Figuur 5.22

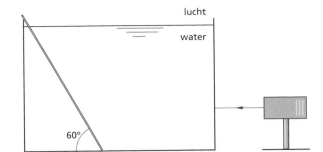

a Aan de rechterkant van de bak wordt de lichtstraal bij de overgangen lucht–glas en glas–water niet gebroken. Leg uit hoe dat komt.
b Teken in figuur W5.5 in het werkboek hoe de lichtstraal vanaf het glas verder loopt tot aan de metalen plaat.
c Teken in figuur W5.5 in het werkboek hoe de lichtstraal vanaf de metalen plaat verder loopt tot aan de overgang water–lucht.
d Bereken hoe groot de hoek van breking is op de plaats waar de straal het water verlaat.
e Teken in de figuur in het werkboek hoe de lichtstraal uit het water te voorschijn komt.

22 Een lichtstraal gaat van stof A naar stof B. Dit is getekend in figuur 5.23. Eén van de stoffen is lucht. De andere stof is een vloeistof.
a Leg uit welke van de stoffen A en B de vloeistof is.
b Bereken de brekingsindex van de vloeistof.
c Zoek in BINAS op om welke vloeistof het hier gaat.

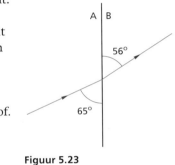

Figuur 5.23

5.3   Toepassingen van breking

In heel veel situaties kom je toepassingen van lichtbreking en totale terugkaatsing tegen. Ook zijn in de natuur talloze voorbeelden aan te wijzen. We noemen enkele voorbeelden en toepassingen.

De 'gebroken' arm.
Steek je je arm in een bak water dan lijkt er een knik in je arm te zitten. Een foto van dit verschijnsel is te zien in figuur 5.24a. Het verschijnsel ontstaat, omdat de lichtstralen die door je arm worden weerkaatst, worden gebroken op de overgang van water naar lucht. Je hersenen verwachten het voorwerp in het verlengde van de lichtstralen die in je oog komen, en plaatsen het beeld op een andere plek. Zie figuur 5.24b. Eigenlijk zie je dus een virtueel beeld van je arm onder water in plaats van de arm zelf.

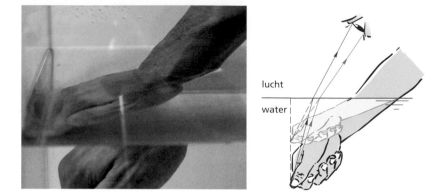

De glasvezelkabel.

De signalen voor telefoon, televisie en internet worden via een kabelnetwerk verstuurd van bron naar ontvanger. Vroeger bestond dit netwerk
uit zogenaamde *coaxkabels* (spreek uit: ko-akskabels) waarover elektrische
signalen werden verzonden. Tegenwoordig wordt een glasvezelnetwerk
gebruikt waardoor lichtsignalen worden verstuurd. Hierbij wordt gebruik
gemaakt van het verschijnsel totale terugkaatsing. Het voordeel van
signaaltransport door middel van licht is dat er veel minder signaalverlies
optreedt.

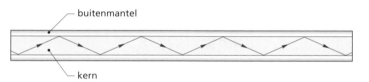

In zijn eenvoudigste vorm bestaat een *glasvezel* uit twee delen, een kern
en een buitenmantel, zie figuur 5.25. De materialen van kern en buitenmantel zijn zo gekozen dat bij de overgang van kern naar buitenmantel
de brekingsindex kleiner is dan 1. Bij lichtbreking is de breking dan van
de normaal af. Aan het begin van de glasvezel wordt het licht in de kern
gestuurd. Onder de juiste omstandigheden is bij het bereiken van het
grensvlak de hoek van inval groter dan de grenshoek. Er treedt dan totale
terugkaatsing op en al het licht wordt teruggekaatst naar de kern.

Het prisma

Een *prisma* is een driehoekig stuk transparant materiaal. In figuur 5.26
is geschetst hoe een lichtstraal wordt gebroken als deze op de zijkant van
zo'n prisma valt. Aan de linkerzijde is de breking naar de normaal toe. Als
het licht aan de rechterzijde het prisma verlaat, breekt de straal van de
normaal af. Bij het rechthoekige stuk perspex zagen we dat de uittredende
lichtstraal evenwijdig was met de invallende lichtstraal. Hier is dat niet
het geval, omdat de zijkanten van het prisma niet evenwijdig lopen. De
richtingsverandering van het licht wordt door de tweede zijde van het
prisma versterkt.

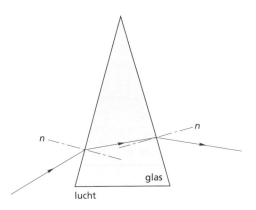

Als een smalle lichtbundel op het prisma valt, dan gebeurt er iets bijzonders.
In plaats van wit licht verschijnt er achter het prisma een band van kleuren. Op deze manier ontdekte men dat wit licht is samengesteld uit meerdere kleuren. Deze verzameling van kleuren wordt het *kleurenspectrum* genoemd.

Figuur 5.27

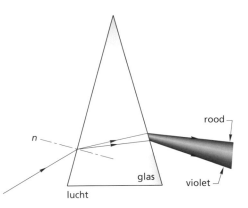

Het verschijnsel ontstaat omdat de brekingsindex niet voor alle kleuren gelijk is. Elke kleur wordt op een eigen manier gebroken. De brekingsindex voor violet licht is groter dan de brekingsindex voor rood licht. Het violette licht wordt sterker gebroken dan het rode licht. Het op deze wijze uiteenrafelen van 'wit' licht noemt men *kleurschifting* of *dispersie*. Er kan dus niet gesproken worden van één brekingsindex van een stof, maar een bepaalde stof heeft voor elke kleur een andere brekingsindex. Als gemiddelde wordt de brekingsindex van geel licht gehanteerd. Dit geldt ook voor de grenshoek, omdat deze direct afhangt van de brekingsindex.

De regenboog
Een *regenboog* ontstaat alleen als er tegelijk regen en zonlicht aanwezig zijn. Zie figuur 5.28.

Figuur 5.28

Figuur 5.29

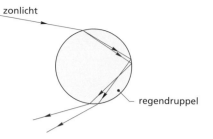
zonlicht

regendruppel

De breking van zonlicht aan een regendruppel is te vergelijken met de breking in een prisma. In figuur 5.29 is een straal zonlicht getekend die van linksboven op een regendruppel valt. Voor het gemak gaan we er van uit dat de druppel bolvormig is.

Bij de overgang van lucht naar water wordt het licht gebroken, waarbij kleurschifting optreedt. Aan de rechterkant van de regendruppel wordt een deel van het licht weerkaatst. Bij de volgende overgang van water naar lucht aan de onderzijde van de druppel treedt een groot deel van dat weerkaatste licht naar buiten. Daar breekt het licht van de normaal af, waardoor de kleuren nog verder uit elkaar gaan lopen.

In figuur 5.29 zie je dat de blauwe straal boven de rode straal uit de druppel komt. Maar als je kijkt naar de foto van figuur 5.28, dan zie je een kleurenband waarin rood juist het hoogst boven de horizon staat. Dat komt omdat we niet naar één druppel kijken, maar naar een groot aantal. Zie figuur 5.30. Van een hoge druppel komt juist de rode straal in ons oog, van een lagere de gele, van een nog lagere de groene en ten slotte komt van een nog weer lagere druppel de blauwe straal in ons oog. Alles bij elkaar zien we een kleurenband met alle kleuren van het zichtbare spectrum.

Figuur 5.30

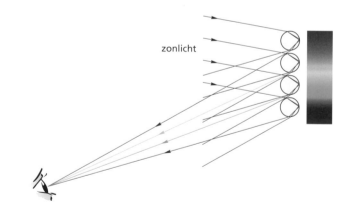
zonlicht

Doordat het licht in de regendruppel gespiegeld wordt, zie je een regenboog altijd met de zon in de rug. Om de boog op de aarde te kunnen zien, mag de zon ook niet te hoog staan. Staat de zon te hoog dan komt het uittredende licht niet in je oog terecht, maar verdwijnt in de atmosfeer. Je ziet dan slechts een klein deel van de boog. Mooie regenbogen zie je meestal alleen vroeg in de ochtend of aan het eind van de middag. Op www.sysnat.nl vind je een extra tekst over regenbogen.

23 Zijn de volgende uitspraken 'goed' of 'fout'?
 a Bij de 'gebroken arm' kijk je naar een reëel beeld.
 b Bij een glasvezel treedt totale terugkaatsing op.
 c Als er licht gaat van de buitenmantel naar de kern dan treedt er breking op van de normaal af.
 d De brekingsindex voor violet licht is kleiner dan die voor rood licht.
 e Bij een regenboog is de breking nooit van de normaal af.

24 Wat wordt bedoeld met dispersie?

25 Wat wordt er bedoeld met het spectrum van licht?

26 Aan welke twee weersvoorwaarden moet worden voldaan om een regenboog te kunnen zien?

Opgaven

27 **Gebruik het werkboek voor het maken van deze opgave.**
 Een helder meertje lijkt altijd minder diep dan het werkelijk is. In figuur 5.31 is een oog van een waarnemer getekend en een steentje dat op de bodem van het meertje ligt. Voor de waarnemer lijkt het steentje minder diep te liggen dan in werkelijkheid.

Figuur 5.31

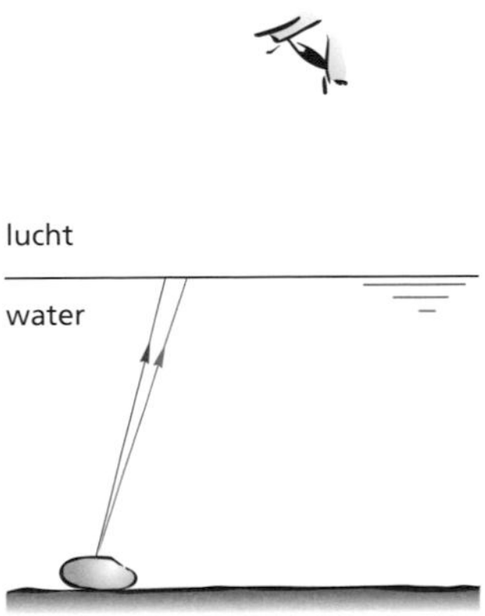

lucht

water

Maak duidelijk hoe dit komt door in het werkboek in figuur W5.6 de lichtstralen te tekenen die vanaf het steentje naar de boven- en onderkant van het oog lopen. Schets daarna de plaats waar het steentje zich volgens de waarnemer bevindt.

28 Een dik stuk glas, waarvan het bovenvlak evenwijdig is aan het ondervlak, is op het antwoordpapier van een natuurkunde-examen gelegd. Zie figuur 5.32a.

Figuur 5.32a en 5.32b

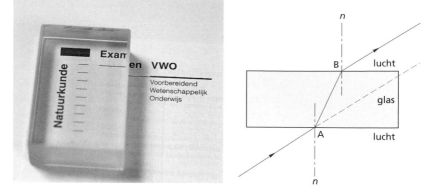

De tekst onder de glasplaat lijkt verschoven ten opzichte van de tekst ernaast. Dit is te verklaren door een lichtstraal te volgen die de glasplaat van onder tot boven doorloopt. Zo'n lichtstraal is getekend in figuur 5.32b. De lichtstraal die bij B uit het glas komt, loopt evenwijdig aan de lichtstraal die bij A het glas binnenging.

a   Van welke drie factoren zal de grootte van de evenwijdige verschuiving van de lichtstraal afhangen?

b   Wanneer zal er geen verschuiving of een nauwelijks waarneembare verschuiving optreden?

29 **Gebruik het werkboek voor het maken van deze opgave.**
Glasvezels kunnen gebruikt worden om licht te geleiden naar een plaats waar het niet rechtstreeks kan komen. In figuur 5.33 is een gebogen glasvezel getekend. AB en A'B' zijn kwart cirkels met middelpunt M. Bij P valt een rode lichtstraal op het oppervlak van de glasvezel. De lichtstraal vervolgt zijn weg tot C. De brekingsindex voor dit licht is overal in de glasvezel 1,71.

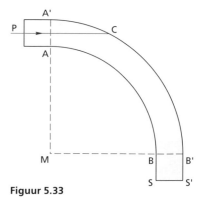

a   Leg uit waarom er bij P geen breking optreedt.

b   Toon met behulp van figuur W5.7 in het werkboek en een berekening aan dat er bij C totale terugkaatsing optreedt.

c   Teken in figuur W5.7 het verdere verloop van de lichtstraal tot voorbij SS' waar hij uit de glasvezel treedt.

Figuur 5.33

30 Vroeger werd het tv-beeld door de lucht naar de huiskamers gestuurd. Ieder huis had daarom een antenne op het dak. Later werd er één ontvangststation ingericht en van daaruit worden de tv-signalen via kabelnetwerken naar de mensen thuis gebracht. Dit gebeurt door de kabelmaatschappij. De kabelnetwerken bestonden in eerste instantie uit kabels van koper, de coaxkabels. Tegenwoordig worden nieuwe netwerken aangelegd met glasvezelkabels.

a   Noem twee voordelen van een kabelnetwerk vergeleken met een eigen huisantenne.
b   Noem twee nadelen van een kabelnetwerk vergeleken met een eigen huisantenne.
c   Welk netwerk is het goedkoopste om aan te leggen, het glasvezelnetwerk of het netwerk met coaxkabels? Kijk voor de prijs van de kabels op internet of bel een elektronicawinkel.
d   Geef een reden om een bestaand netwerk van coaxkabels niet te vervangen door glasvezelkabels.
e   Geef twee redenen om een bestaand netwerk wél te vervangen door glasvezelkabels.

5.4   Breking van licht door lenzen

Er bestaan veel apparaten waarin licht gebroken wordt. Om maar eens een aantal te noemen: bril, loep (vergrootglas), fototoestel, diaprojector en filmprojector, verrekijker, sterrenkijker, microscoop. Al deze apparaten bevatten één of meerdere *lenzen*. Lenzen worden zo gemaakt dat ze het licht breken op een manier dat wij er beter gebruik van kunnen maken. Een voorwerp wordt bijvoorbeeld afgebeeld en daarbij heel erg vergroot zodat wij het beter kunnen waarnemen of juist verkleind zodat we het kunnen vastleggen op een foto.
In deze en de volgende paragraaf wordt een aantal begrippen genoemd die van belang zijn als je het over lenzen hebt. Verderop in dit hoofdstuk zul je deze kennis gaan toepassen in meer concrete situaties.

Sferische lenzen
Een lens is een doorschijnend voorwerp (meestal van glas), dat wordt begrensd door op z'n minst één gebogen oppervlak.
We zullen ons beperken tot *sferische* lenzen. Dit zijn lenzen waarvan de gekromde oppervlakken delen zijn van boloppervlakken. De kromtestralen r_1 en r_2 van die oppervlakken hoeven niet even groot te zijn. Zie de figuren 5.34a en b.

De rechte lijn door de kromtemiddelpunten M_1 en M_2 snijdt de beide lensoppervlakken loodrecht. Deze rechte wordt de *hoofdas* van de lens genoemd. Punt O is het *optisch middelpunt* van de lens. Bij een niet-symmetrische lens ligt dit punt niet in het 'midden', het ligt dan het dichtst bij het sterkst gekromde lensoppervlak. Elke rechte lijn door O, die niet samenvalt met de hoofdas, wordt een *bijas* van de lens genoemd.

Er bestaan zes typen sferische lenzen, die je in twee groepen kunt verdelen:
–   De groep van de *bolle* of *positieve* lenzen. Zie figuur 5.35a. Deze lenzen zijn in het midden dikker dan aan de rand.

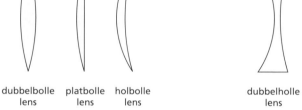

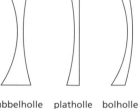

Figuur 5.34a en 5.34b – De groep van de *holle* of *negatieve* lenzen. Zie figuur 5.35b. Deze lenzen zijn in het midden dunner dan aan de rand.

Figuur 5.35a en 5.35b

dubbelbolle lens   platbolle lens   holbolle lens

dubbelholle lens   platholle lens   bolholle lens

Het is van belang onderscheid te maken tussen bolle lenzen en holle lenzen. Lichtstralen worden door bolle lenzen namelijk anders gebroken dan door holle lenzen. Je ziet dit in de figuren 5.36 en 5.37. In deze figuren lopen de stralen van links naar rechts door de lens.

– In een bolle lens worden de lichtstralen naar elkaar toe gebroken: de bolle lens heeft een convergerende werking.
– In een holle lens worden de lichtstralen van elkaar af gebroken: de holle lens heeft een divergerende werking.

Figuur 5.36 en 5.37

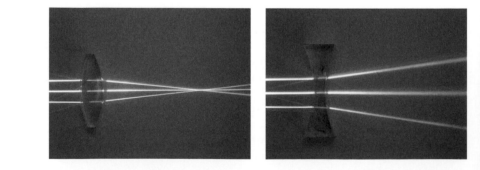

Lichtbreking door een positieve lens en door een negatieve lens
In figuur 5.36 kun je zien dat lichtstralen, die evenwijdig aan de hoofdas invallen op een positieve lens, elkaar snijden achter de lens. Hoe kun je de plaats van zo'n snijpunt veranderen?
Wat zijn de verschillen tussen de breking van lichtstralen bij een positieve lens en bij een negatieve lens? En wat zijn de overeenkomsten?

Breking in een positieve lens; brandpunt

In figuur 5.36 lopen de invallende lichtstralen evenwijdig aan de hoofdas. Nadat de lichtstralen gebroken zijn door de bolle lens, snijden ze elkaar in één punt. Dit punt noemen we het *brandpunt* van de lens. Het wordt aangegeven met de letter F. Waar dit punt precies ligt, wordt bepaald door de kromming van de twee oppervlakken en de brekingsindex van het materiaal waar de lens van gemaakt is. Als het oppervlak sterker gekromd is, dan komt het snijpunt van de lichtstralen dichter bij de lens te liggen. De lens is sterker en dus ligt het brandpunt dichter bij de lens. Iedere lens heeft dan ook zijn eigen vaste brandpunt.

Voor lichtstralen die niet evenwijdig zijn als ze een bolle lens treffen maar juist divergent, geldt uiteraard ook dat ze naar elkaar toe gebroken worden. Zie figuur 5.38a. Het snijpunt ligt dan wel verder van de lens dan het brandpunt. Als ze te divergent zijn, dan kunnen ze niet meer bij elkaar komen. Ze worden dan nog steeds naar elkaar toe gebroken, maar ze zullen elkaar niet snijden. Zie figuur 5.38b. De convergerende werking van een positieve lens kun je dus als volgt opvatten: de lens laat de lichtstralen sterker naar elkaar toe lopen of minder sterk van elkaar af.

Figuur 5.38a en 5.38b

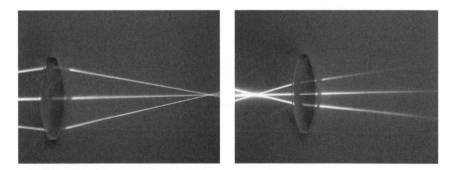

Omkeerbaarheid van lichtstralen

Tot nu toe hebben we de lichtstralen steeds van links naar rechts door de lens laten gaan. Uiteraard kan er ook een lichtbundel aan de rechterkant van de lens invallen. Het mooie van lenzen is dat er dan precies hetzelfde gebeurt. Lichtstralen die van rechts evenwijdig aan de hoofdas invallen, komen aan de linkerkant samen in één punt, een brandpunt. Dit punt ligt op dezelfde afstand van het optisch midden als het brandpunt aan de rechterkant. Zie figuren 5.39a en b. De afstand van het optisch middelpunt naar een brandpunt noemen we de *brandpuntsafstand f* van de lens.

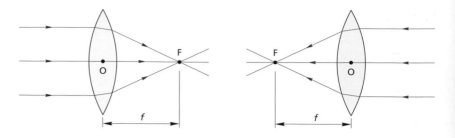

Er geldt dus ook dat als we een lichtbron in het brandpunt aan de linkerkant van de lens plaatsen, dat de lichtstralen de lens evenwijdig aan de
hoofdas verlaten. Kortom:
- lenzen kunnen worden omgekeerd zonder dat het effect heeft op de loop
van de lichtstralen.
- lichtstralen kunnen worden omgekeerd: van links naar rechts volgen ze
dezelfde weg als van rechts naar links.

Lichtstraal door het optisch middelpunt

Als we het voortaan over lenzen hebben, dan hebben we het over dunne
lenzen. Voor dunne lenzen mogen we namelijk het volgende aannemen:
elke lichtstraal die gericht is op het optisch middelpunt van een dunne
lens, gaat ongebroken door. Zie figuur 5.40.

Figuur 5.40 en 5.41

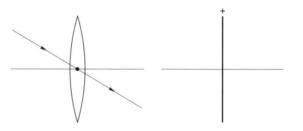

Dit is één van de redenen waarom we in een tekening een dunne lens
voortaan weergeven door middel van een dikke streep, met de hoofdas er
loodrecht op. Zie figuur 5.41. Aangezien het om een bolle lens gaat, die ook
wel positieve lens wordt genoemd, zetten we een plusteken boven die streep.

Bijas en brandvlak

We hebben zojuist gezien dat lichtstralen die evenwijdig aan de hoofdas
op de lens invallen vervolgens door het brandpunt gaan.
Een evenwijdige lichtbundel kan ook scheef op een lens invallen. Zie figuur
5.42. Ook dan blijken de uittredende lichtstralen door één punt te gaan.
Dit punt noemen we een *bijbrandpunt* (F'). Een bijbrandpunt ligt niet op de
hoofdas, maar op een *bijas*. Dat is een lijn die door het optisch midden van
een lens gaat en evenwijdig loopt aan de invallende lichtbundel.

In het vervolg noemen we de twee brandpunten die op de hoofdas liggen
een *hoofdbrandpunt*. Dit om te zorgen dat we ze niet verwarren met een
bijbrandpunt. In figuur 5.42 zie je dat het bijbrandpunt recht onder het
hoofdbrandpunt ligt. De bijbrandpunten, die liggen op bijassen die een

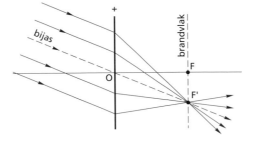

niet te grote hoek maken met de hoofdas, vormen een vlak dat door het hoofdbrandpunt gaat en loodrecht staat op de hoofdas. Dit vlak wordt een *brandvlak* van de lens genoemd.

Op de vorige pagina's heb je kunnen zien dat een lens twee hoofdbrandpunten heeft, die zich allebei op gelijke afstand f van de lens bevinden. Aangezien beide hoofdbrandpunten zich in een brandvlak bevinden, zijn er ook twee brandvlakken.

Eerder heb je ook gezien dat zowel de lens als de lichtstralen omkeerbaar zijn. Hieruit volgt automatisch dat lichtstralen die vanuit een punt in het brandvlak komen, de lens evenwijdig verlaten. Maar nu lopen deze lichtstralen evenwijdig aan een bijas.

Een bijas is een handig hulpmiddel om de brandpuntsafstand van een lens te bepalen. Kijk maar eens naar figuur 5.43a. We zien daar een lichtstraal die wordt gebroken door een positieve lens. Door op een slimme manier gebruik te maken van een bijas, kunnen we er achter komen waar het brandpunt ligt. Om te beginnen tekenen we een lijn door het optisch midden (een bijas dus) die evenwijdig loopt aan de invallende lichtstraal. Zie figuur 5.43b.

Figuur 5.43a

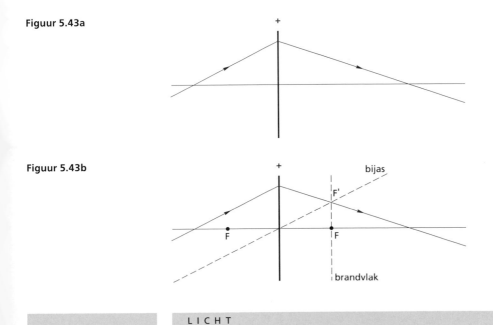

Figuur 5.43b

Volgens de regel over bijbrandpunten snijdt deze de uittredende lichtstraal in het bijbrandpunt. Dit bijbrandpunt ligt in het brandvlak en bevindt zich dus recht boven het hoofdbrandpunt. De brandpuntsafstand kan nu worden opgemeten.

Samenvatting

- Een bolle of positieve lens heeft een convergerende werking; een holle of negatieve lens heeft een divergerende werking.
- De convergerende werking van een positieve lens betekent: de lens laat de lichtstralen sterker naar elkaar toe lopen of minder sterk van elkaar af.
- De divergerende werking van een negatieve lens betekent: de lens laat de stralen sterker uit elkaar lopen of minder sterk naar elkaar toe.
- De loop van een lichtstraal door een lens is omkeerbaar.
- Een positieve lens heeft twee hoofdbrandpunten, aangegeven met de letter F. Deze liggen aan weerszijden van de lens op de hoofdas, op gelijke afstand van het optisch middelpunt. Die afstand is de brandpuntsafstand f van de lens. Een hoofdbrandpunt wordt meestal gewoon het brandpunt genoemd.
- Voor dunne lenzen geldt: een lichtstraal gericht op het optisch middelpunt, gaat ongebroken door.
- Alleen de lichtstralen die evenwijdig aan de hoofdas op de lens invallen, gaan na breking door het brandpunt.
- Lichtstralen die vanuit het brandpunt komen, verlaten de lens evenwijdig aan de hoofdas.
- De drie soorten lichtstralen die hierboven genoemd worden zijn bijzondere lichtstralen. Vooruitlopend op de volgende paragraaf noemen we ze *constructiestralen*.
- Elke lens heeft twee brandvlakken. Een brandvlak is een vlak door een hoofdbrandpunt, loodrecht op de hoofdas.
- Een bijbrandpunt is het snijpunt van een bijas met een brandvlak.
- Lichtstralen die evenwijdig aan een bijas op een positieve lens invallen, gaan na breking door een bijbrandpunt.
- Lichtstralen die vanuit een bijbrandpunt komen, verlaten een positieve lens evenwijdig aan een bijas.

Vragen

31 a Waarom is het van belang onderscheid te maken tussen bolle en holle lenzen?
    b Waaraan moet de vorm van een lens voldoen om een bolle lens te zijn?
    c Hoe wordt een bolle lens ook wel genoemd?

32 In figuur 5.44 is een platbolle lens weergegeven. O is het optisch middelpunt van deze lens en F een hoofdbrandpunt.
    a Waarom kun je niet zeggen dat F 'het' hoofdbrandpunt is?
    b Hoe wordt de afstand OF genoemd? Wat is het symbool hiervoor?
    c Hoe wordt rechte k genoemd? En rechte l?

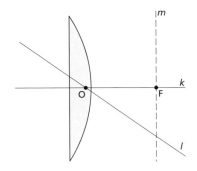

d Wat stelt streepjeslijn *m* voor?
e Wat weet je van de loop van een lichtstraal die op het optisch middelpunt is gericht?

33 Een 'brandglas' is een positieve lens. Als de zon schijnt, kun je van zo'n
   brandglas goed de brandpuntsafstand bepalen. Leg uit hoe je dat dan
   doet.

Opgaven

34 In figuur 5.35a staan drie verschillende soorten bolle lenzen.
   Leg uit waarom hier de holbolle lens, met één bol en één hol oppervlak,
   toch een bolle lens genoemd mag worden.

35 In de figuren 5.45a t/m d zijn steeds twee lichtstralen te zien, die door een
   lens worden gebroken.

Figuur 5.45a t/m d

a Leg voor de lens die getekend is in figuur 5.45a uit of de lens positief is
   of negatief.
b Doe hetzelfde voor de lenzen die getekend zijn in de andere drie
   figuren.

36 **Gebruik het werkboek voor het maken van deze opgave.**
   In figuur 5.43 heb je gezien hoe je, door gebruik te maken van een bijas,
   de plaats van een brandpunt kunt bepalen. Construeer in het werkboek in
   figuur W5.8 de plaats van het brandpunt, maar nu door gebruik te maken
   van de bijas die hoort bij de uittredende lichtstraal.

37 **Gebruik het werkboek voor het maken van deze opgave.**
   In de figuren 5.46a en b is telkens een lichtstraal getekend die in een
   willekeurige richting op een positieve lens valt.

Teken in het werkboek in de figuren W5.9a en b de verdere loop van de lichtstralen. Maak hierbij gebruik van een bijas en een brandvlak.

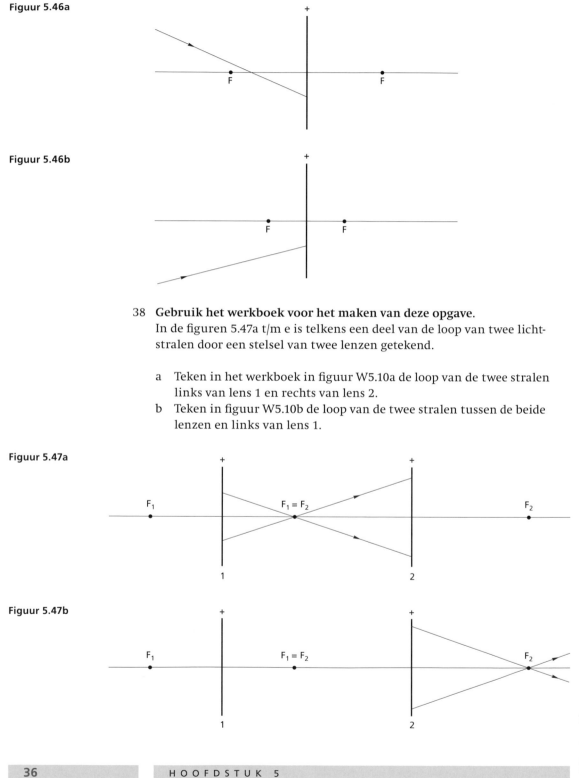

Figuur 5.46a

Figuur 5.46b

38 **Gebruik het werkboek voor het maken van deze opgave.**
In de figuren 5.47a t/m e is telkens een deel van de loop van twee lichtstralen door een stelsel van twee lenzen getekend.

a   Teken in het werkboek in figuur W5.10a de loop van de twee stralen links van lens 1 en rechts van lens 2.
b   Teken in figuur W5.10b de loop van de twee stralen tussen de beide lenzen en links van lens 1.

Figuur 5.47a

Figuur 5.47b

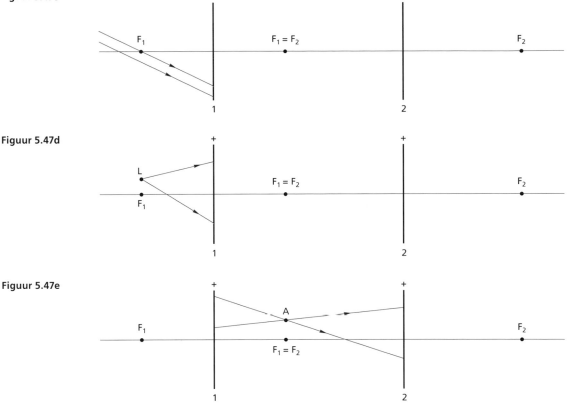

c Teken in het werkboek in figuur W5.10c de verdere loop van de twee
   stralen tussen beide lenzen en rechts van lens 2.
d Teken in figuur W5.10d de verdere loop van de twee stralen tussen
   beide lenzen en rechts van lens 2.
e Teken in figuur W5.10e de loop van de twee lichtstralen links van lens
   1 en rechts van lens 2.

5.5 Beeldvorming en beeldconstructie

In de vorige paragraaf is besproken hoe licht wordt gebroken
door lenzen. Van een drietal lichtstralen weet je nu hoe ze de lens
verlaten.
– Een lichtstraal gericht op het optisch middelpunt gaat ongebroken
   rechtdoor, dit is lichtstraal I.
– De lichtstraal die evenwijdig aan de hoofdas aankomt, gaat door het
   brandpunt verder, lichtstraal II.
– De lichtstraal die door het brandpunt aankomt, gaat evenwijdig met de
   hoofdas verder, lichtstraal III.

Lenzen worden gebruikt om van een voorwerp een beeld te vormen. Denk aan een dia die vergroot wordt geprojecteerd op een muur. Ook een bril en contactlenzen vormen een beeld van de voorwerpen in onze omgeving, zodat je ze beter kunt zien.

In deze paragraaf zie je hoe je door middel van de bekende lichtstralen het beeld van een voorwerp kunt construeren.

Beeldvorming door een positieve lens

Uit een lichtkastje komt een convergente lichtbundel. Het snijpunt van de lichtstralen wordt gebruikt als puntvormige lichtbron. Je noemt het snijpunt het lichtpunt L of het voorwerpspunt. In de divergente lichtbundel die uit dit voorwerpspunt komt, plaatsen we een bolle lens. Als het voorwerpspunt op de hoofdas van de lens ligt, dan noem je de afstand van het voorwerpspunt tot het optisch midden van de lens de *voorwerpsafstand v*. Meestal ligt het voorwerpspunt niet op de hoofdas. Zie bijvoorbeeld figuur 5.48. In dat geval kun je de voorwerpsafstand bepalen door vanuit L een loodlijn te trekken naar de hoofdas. De voorwerpsafstand van L is nu de afstand van het snijpunt van de loodlijn met de hoofdas tot het optisch middelpunt O.

Eerste situatie: v > f
Als de voorwerpsafstand groter is dan de brandpuntsafstand van de lens ($v > f$), dan gaan de uittredende lichtstralen door één punt. Dit noemen we het beeldpunt B. Het is een reëel beeldpunt. De afstand tussen het beeldpunt en de lens noemen we de *beeldafstand b*. Deze afstand kan op dezelfde manier worden bepaald als de voorwerpsafstand. Zie figuur 5.48.

Figuur 5.48

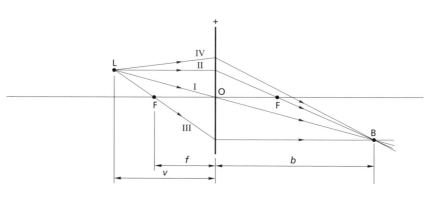

De plaats van het beeldpunt kun je met een constructie bepalen. Hiervoor gebruik je de drie bekende lichtstralen die I, II en III in het begin van deze paragraaf zijn genoemd. Deze drie stralen heten constructiestralen. Uiteraard kun je met twee van deze constructiestralen al de plaats van het beeldpunt bepalen. De derde constructiestraal kan dan ter controle dienen.

Als je de ligging van het beeldpunt bepaald hebt, dan kun je de loop van een willekeurige lichtstraal vanuit L, die door de lens gaat, tekenen. Bijvoorbeeld lichtstraal IV, die komt met een willekeurige richting uit L, maar hij gaat na het passeren van de lens wel door B.

HOOFDSTUK 5

Tweede situatie: v < f
Als de voorwerpsafstand kleiner is dan de brandpuntsafstand van de lens
(v < f), dan kan de lens de stralen niet breken tot een reëel beeldpunt. De
uit de lens tredende bundel blijft divergent. Toch is er een beeldpunt. Je
vindt dat punt op de volgende manier. Zie figuur 5.49.

Figuur 5.49

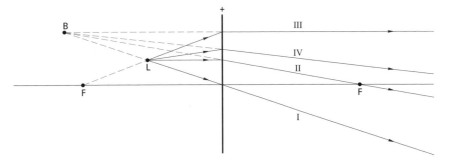

Teken eerst constructiestraal I. Die loopt na de lens gewoon door. Teken
dan constructiestraal II. Na de lens gaat die door het brandpunt rechts van
de lens. De twee stralen rechts van de lens snijden elkaar niet. Maar ze
lijken beide uit punt B links van de lens te komen. B wordt het virtuele
beeldpunt genoemd. Om dat punt te vinden, moet je de stippellijnen
tekenen in het verlengde van de uittredende stralen.

Teken ten slotte constructiestraal III. Die lijkt uit het brandpunt links
van de lens te komen. Als je de stippellijn tekent in het verlengde van de
horizontaal uittredende straal, dan zie je dat die ook uit B komt. Ook nu
kun je elke willekeurige lichtstraal vanuit het lichtpunt L tekenen. Ze
lijken allemaal te komen uit het beeldpunt B.

Derde situatie: v = f
Een bijzonder geval doet zich voor als het lichtpunt zich precies in het
brandvlak bevindt (v = f). Stralen die uit een punt van het brandvlak
komen gaan na de lens evenwijdig aan elkaar verder. Zie figuur 5.50.
Zoals je ziet is constructiestraal III niet getekend. Als je deze probeert te
tekenen zoals in figuur 5.49, dan zul je zien dat de lichtstraal verticaal

Figuur 5.50

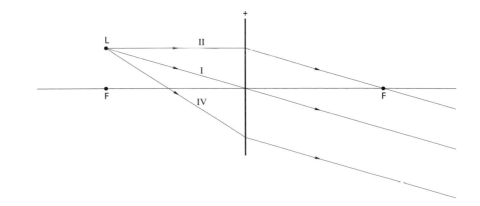

omhoog zou moeten gaan en dus nooit de lens zou raken. De lichtstraal
zou dan ook nooit kunnen bijdragen aan de vorming van een beeld. Verder
zie je dat de lichtstralen rechts van de lens evenwijdig lopen en elkaar dus
niet snijden. Je kunt nu zeggen dat er geen beeld wordt gevormd. Je zou
echter ook kunnen zeggen dat er wel een beeldpunt is, maar dat dit beeldpunt oneindig ver weg ligt.

Meestal hebben we niet te maken met één voorwerpspunt, maar met
een heel voorwerp. Zo'n voorwerp kunnen we opvatten als een verzameling voorwerpspunten. Vanuit elk voorwerpspunt zal een lichtbundel op
de lens vallen. En van elk voorwerpspunt zal een beeldpunt worden
gevormd. Alle beeldpunten samen vormen het totale beeld.

Hierbij geldt dat van alle voorwerpspunten die zich op gelijke afstand
van de lens bevinden, ook alle beeldpunten zich op gelijke afstand
van de lens bevinden. De vorm van het beeld is hetzelfde als de vorm
van het voorwerp. Wel kan het beeld groter of kleiner zijn dan het
voorwerp.

Opmerking
Met het 'beeld van een voorwerp' wordt altijd een scherpe afbeelding
bedoeld. Het is uiteraard ook mogelijk om een voorwerp wazig af
te beelden, maar dan wordt dat niet hét beeld van het voorwerp
genoemd.

Figuur 5.51

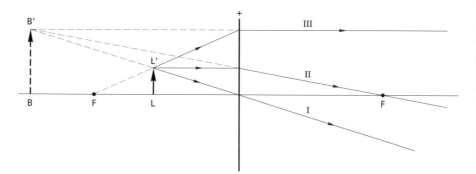

In figuur 5.51 zie je hoe van het voorwerp LL' het virtuele beeld BB'
geconstrueerd kan worden. Aangezien de vorm van het beeld hetzelfde is
als die van het voorwerp, is het dus niet nodig – het is zelfs onmogelijk –
om van alle voorwerpspunten het beeldpunt te construeren. In dit geval
is het voldoende om alleen het beeldpunt B' te construeren. De rest van
het beeld kun je dan ook tekenen, want als het voorwerp loodrecht op de
hoofdas staat, dan staat het beeld ook loodrecht op de hoofdas.

Vergroting of verkleining?
Zoals je weet maak je met een diaprojector een vergroting van een dia,
zodat je de plaatjes op een scherm goed kunt zien. Met een fotocamera
maak je over het algemeen juist een verkleind beeld op het negatief in de

analoge camera, of op de chip in de digitale camera. Met een loep wil je een vergroot beeld kunnen zien, maar dit hoeft niet geprojecteerd te worden op een scherm. Hoe kunnen we de grootte van het beeld beïnvloeden?

Het blijkt dat de grootte van het beeld afhangt van de plaats van het voorwerp ten opzichte van de lens. Hier hangen ook de plaats van het beeld, de stand van het beeld (rechtop of omgekeerd) en de aard van het beeld (reëel of virtueel) van af.

Figuur 5.52

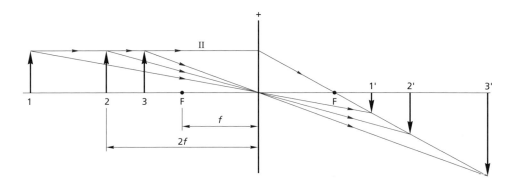

Eerst bekijk je de situaties waarbij een reëel beeld ontstaat. Zie figuur 5.52. In alle situaties is het beeld geconstrueerd met behulp van de constructie-stralen I en II.

Bekijk het eerste voorwerp, pijl 1 en het bijbehorende beeld, pijl 1'. Voor dit voorwerp geldt dat $v > 2f$. Je ziet dat in dit geval het beeld verkleind is en op zijn kop staat. Zo'n situatie komt vaak voor bij een fototoestel.

Bekijk het tweede voorwerp, pijl 2 en het bijbehorende beeld, pijl 2'. Voor dit voorwerp geldt dat $v = 2f$. In dit geval is het beeld even groot als het voorwerp en het staat weer op zijn kop.

Bekijk het derde voorwerp, pijl 3 en het bijbehorende beeld, pijl 3'. Voor dit voorwerp geldt dat $f < v < 2f$. In dit geval is het beeld groter dan het voorwerp en staat op zijn kop. Dit komt voor bij de diapro-jector.

In alle drie de gevallen is het beeld omgekeerd.

Nu bekijk je de situaties waarbij een virtueel beeld ontstaat. Zie figuur 5.53.
Bekijk het vierde voorwerp, pijl 4. Voor dit voorwerp geldt $v < f$. Het beeld is gevonden door twee constructiestralen te tekenen en aan de linkerkant door te trekken. Het beeld is pijl 4'. Het beeld is blijkbaar groter dan het voorwerp, het beeld staat rechtop en het is virtueel.

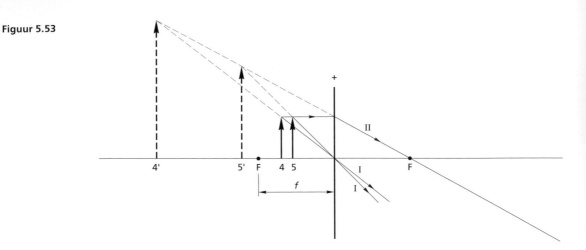

Ten slotte het vijfde voorwerp, pijl 5. Dat is nog dichter bij de lens gete-kend. Het beeld is kleiner dan het vorige beeld, maar is nog steeds groter dan het voorwerp. Het staat rechtop en is virtueel.

Opmerking
Met de vijf voorbeelden zijn alle mogelijke voorwerpsafstanden besproken op één na. Dat is het geval waarbij $v = f$. Dat geval is al eerder besproken, er ontstaat dan geen beeld.

Vragen

39 Op een dia is de letter p te zien.
In welk van de hieronder weergegeven standen moet je deze dia (door de dia heen in de richting van het scherm kijkend) in de diahouder plaatsen om die letter p in de juiste stand op het scherm te zien? Licht je antwoord toe.

p b q d

40 In welk opzicht zijn de constructiestralen voor het tekenen van een virtueel beeld anders dan die voor een reëel beeld?

41 Een diaprojector maakt van een dia een vergroot beeld, dat kan worden afgebeeld op de muur. Hoe ver moet de dia zich van de lens bevinden om dit voor elkaar te krijgen?

Opgaven

42 **Gebruik het werkboek voor het maken van deze opgave.**
Een voorwerp LL' staat voor een positieve lens. Zie figuur 5.54. Op het scherm ontstaat een beeld van het voorwerp.
a Construeer in de figuur in het werkboek:
– de grootte van het beeld;

- de plaats van een hoofdbrandpunt van de lens;
- de verdere loop van de in figuur 5.54 getekende lichtstraal.
b In welk(e) opzicht(en) verandert het beeld van LL' op het scherm, als de bovenste helft van de lens wordt afgeschermd?

43 **Gebruik het werkboek voor het maken van deze opgave.**
Een positieve lens heeft een brandpuntsafstand van 5,0 cm en een diameter van 4,0 cm. Op 3,0 cm links van deze lens en op 1,0 cm boven de hoofdas is een lichtpunt L geplaatst. Dit lichtpunt verlicht de gehele lens. Op 5,0 cm rechts van de lens en op 3,0 cm onder de hoofdas bevindt zich een (puntvormig gedacht) oog. Figuur 5.55 is een tekening van de situatie.
a Bepaal met behulp van een constructie in figuur W5.12 in het werkboek de ligging van het beeldpunt van L.

Figuur 5.55

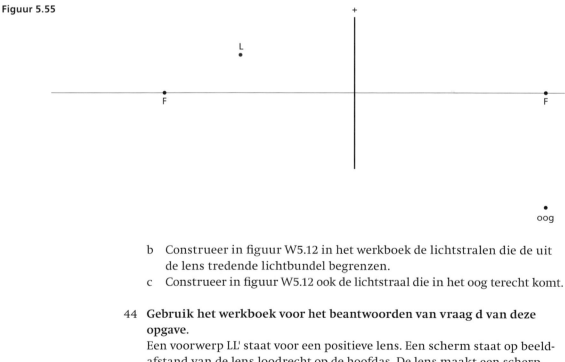

b Construeer in figuur W5.12 in het werkboek de lichtstralen die de uit de lens tredende lichtbundel begrenzen.
c Construeer in figuur W5.12 ook de lichtstraal die in het oog terecht komt.

44 **Gebruik het werkboek voor het beantwoorden van vraag d van deze opgave.**
Een voorwerp LL' staat voor een positieve lens. Een scherm staat op beeldafstand van de lens loodrecht op de hoofdas. De lens maakt een scherp beeld op het scherm. Er wordt een diafragma achter de lens geplaatst. Zie figuur 5.56. We onderzoeken de invloed van het diafragma op de beeldvorming.

a   Is het beeld op het scherm nu een volledige afbeelding van LL'? Licht je antwoord toe.

b   Is het beeld net zo lichtsterk als wanneer er geen diafragma zou zijn? Licht je antwoord toe.

c   Heeft het diafragma invloed op de scherpte van het beeld? Licht je antwoord toe.

d   Construeer in het werkboek in figuur W5.13 het beeld BB'.

Figuur 5.56

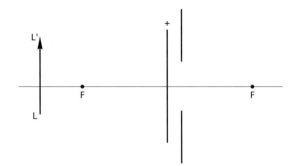

45   **Gebruik het werkboek voor het beantwoorden van de vragen b en c van deze opgave.**
Lens A heeft een brandpuntsafstand van 250 cm. Met deze lens wordt op een scherm een scherp beeld van de zonneschijf gevormd. Dit beeld heeft een diameter van 23 mm. De afstand van de aarde tot de zon is $1,50 \cdot 10^8$ km. Omdat de zon 'oneindig' ver weg staat, zijn de lichtstralen die van één punt van de zon op een lens vallen evenwijdig aan elkaar. In figuur 5.57 zijn de stralen die van de bovenkant van de zon afkomstig zijn getekend als een evenwijdige lichtbundel, evenals de stralen die vanaf de onderkant van de zon komen. Verder is de hoofdas van een lens getekend, een scherm en de plaats van het beeld van de zon dat door de lens gemaakt wordt.

Figuur 5.57

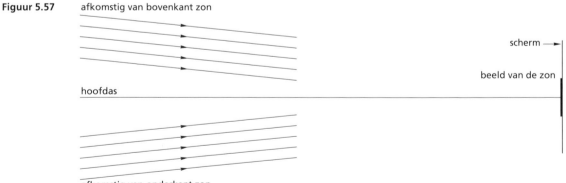

a   Hoe groot moet de afstand van het scherm tot de lens zijn om op het scherm een scherp beeld te krijgen?
In de figuur is de lens nog niet getekend.

b   Geef in figuur W5.14 in het werkboek de lens aan met een verticale streep.

c Bereken met behulp van de figuur in het werkboek de diameter van de zonneschijf. Maak hierbij gebruik van de gelijkvormigheid van driehoeken.

Lens A wordt vervangen door lens B. Beide lenzen hebben een even grote brandpuntsafstand, maar lens B heeft een grotere diameter.

d Leg uit waarin het door lens B gevormde beeld verschilt van het door lens A gevormde beeld.

Vervolgens wordt lens B vervangen door lens C. Beide lenzen hebben een even grote diameter, maar lens C heeft een grotere brandpuntsafstand. Het scherm wordt zo verschoven, dat opnieuw een scherp beeld ontstaat.

e Leg uit waarin het door lens C gevormde beeld verschilt van het door lens B gevormde beeld.

5.6 Lensformule en lineaire vergroting

In de vorige paragraaf heb je gezien hoe beelden gevormd worden en hoe je ze zelf kunt construeren. Ook heb je gezien dat de grootte en de plaats van het beeld afhangt van de plaats van het voorwerp. In deze paragraaf ga je ontdekken wat het kwantitatieve verband is tussen de voorwerpsafstand, de beeldafstand, de brandpuntsafstand en de vergroting.

Lineaire vergroting

Bij beeldvorming is het meestal de bedoeling om een voorwerp vergroot of verkleind weer te geven. Daarom wordt de grootte van het beeld vaak vergeleken met de grootte van het voorwerp. Hiervoor is het begrip lineaire vergroting ingevoerd.

Het symbool voor lineaire vergroting is N of N_{lin}.

De lineaire vergroting geeft aan hoeveel maal een voorwerp door een lens wordt vergroot. Het woord lineaire geeft aan dat het hier gaat om de vergroting van bijvoorbeeld de lengte of de breedte en niet om de vergroting van het oppervlak.

Als je bijvoorbeeld een dia projecteert op een scherm en de lengte en de breedte worden daarbij allebei 30 keer zo groot, dan wordt de oppervlakte 900 keer zo groot. De lineaire vergroting is dan 30 en niet 900.

Als je te maken hebt met een voorwerp dat bijvoorbeeld 20 keer verkleind wordt afgebeeld, dan zeg je dat de vergroting 1/20, dus 0,050 is.

Heeft de lineaire vergroting een waarde die kleiner is dan 1, dan heb je dus te maken met een voorwerp dat verkleind wordt afgebeeld.

Uit de definitie van het begrip lineaire vergroting volgt al direct hoe deze berekend kan worden, namelijk:

$$N_{lin} = \frac{\text{lengte beeld}}{\text{lengte voorwerp}} = \frac{L_{beeld}}{L_{voorw}}$$

Met L_{beeld} wordt de lengte van het beeld aangegeven, met L_{voorw} de lengte van het voorwerp.

In de vorige paragraaf heb je gezien dat de grootte van het beeld afhankelijk is van de plaats van het voorwerp. Je kunt de lineaire vergroting dan ook uitdrukken in de voorwerpsafstand en de beeldafstand. In figuur 5.58 zie je het voorwerp, het beeld en twee gearceerde driehoeken die ontstaan als je twee constructiestralen tekent. Die twee driehoeken zijn gelijkvormig en dus hebben overeenkomstige zijden gelijke verhoudingen. Als je dit toepast op de zijden met de lengtes L_{beeld}, L_{voorw}, b en v, dan vind je:

$$\frac{L_{beeld}}{L_{voorw}} = \frac{b}{v}$$

In het geval van een virtueel beeld is de beeldafstand negatief. Er zou dan een negatief getal uit de deling komen. Het gaat hier echter om een verhouding van twee lengtes en dus moet er altijd een positieve waarde uitkomen. De formule voor de lineaire vergroting wordt dan:

$$N_{lin} = \frac{L_{beeld}}{L_{voorw}} = \left|\frac{b}{v}\right|$$

Lensformule

Eerder heb je al gezien dat een verandering in de voorwerpsafstand tot gevolg heeft dat de beeldafstand verandert. Je gaat nu onderzoeken welk kwantitatief verband er bestaat tussen deze twee afstanden. Daarvoor gebruik je de opstelling van figuur 5.59.

Het voorwerp is een dia met een letter L. Het voorwerp wordt door een lamp gelijkmatig verlicht. Een aantal keer verander je de plaats van het voorwerp. Het scherm wordt steeds zo geplaatst dat er een beeld op ontstaat. In de figuur zijn v en b aangegeven. De resultaten zijn in de twee eerste kolommen van tabel 5.2 genoteerd.
Het is niet meteen duidelijk wat het verband is tussen de waarden van v en b, maar wel als je de volgende drie stappen uitvoert.

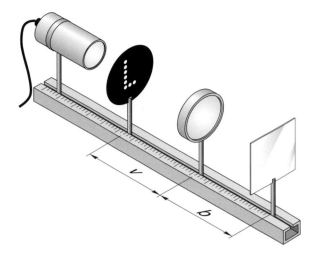

v (m)	b (m)	$\dfrac{1}{v}$ (m⁻¹)	$\dfrac{1}{b}$ (m⁻¹)	$\dfrac{1}{v}+\dfrac{1}{b}$ (m⁻¹)
1,00	0,25	1,00	4,00	5,0
0,75	0,27	1,33	3,70	5,0
0,60	0,30	1,67	3,33	5,0
0,50	0,33	2,00	3,03	5,0
0,40	0,40	2,50	2,50	5,0
0,35	0,46	2,86	2,17	5,0
0,30	0,60	3,33	1,67	5,0
0,25	1,00	4,00	1,00	5,0
0,20	–	5,00	–	–
0,18	–	5,56	–	–
				S (dpt)
∞	0,20 = f	0	$5{,}0=\dfrac{1}{f}$	$5{,}0=\dfrac{1}{f}$

– Bereken bij elke waarde van v het omgekeerde $\dfrac{1}{v}$

– Bereken bij elke waarde van b het omgekeerde $\dfrac{1}{b}$

– Bereken steeds $\dfrac{1}{v}+\dfrac{1}{b}$

Dan zie je dat die berekening bij elke meting (ongeveer) hetzelfde getal oplevert. Dat getal noemen we S. Het blijkt samen te hangen met de brandpuntsafstand van de lens. Zie de laatste regel van de tabel en zie figuur 5.60.

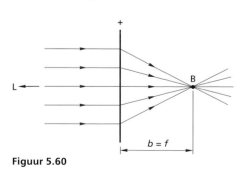

Figuur 5.60

Lichtstralen uit een oneindig ver gelegen voorwerpspunt ($v = \infty$) komen evenwijdig aan op de lens. Na de lens gaan evenwijdige stralen door het brandpunt. De beeldafstand is dan gelijk aan de brandpuntsafstand.

Uit de berekening van het getal S komt $\dfrac{1}{f}$. Zie de laatste regel van de tabel.

Daarmee hebben we de lensformule gevonden:

$$\frac{1}{b} + \frac{1}{v} = \frac{1}{f}$$

Als je een voorwerp op eenzelfde afstand voor een sterkere lens zet, dan zal de beeldafstand kleiner zijn.
In tabel 5.3 staan meetresultaten voor een sterkere lens.
In de tabel is ook de berekening opgenomen voor de grootheid S. Je ziet dat bij de sterkere lens een grotere waarde van S gevonden wordt. S staat dan ook voor de *sterkte van de lens*. De eenheid van S is m^{-1}. Men noemt dat ook dioptrie, afgekort dpt.

Tabel 5.3

v (m)	b (m)	$\dfrac{1}{v}$ (m^{-1})	$\dfrac{1}{b}$ (m^{-1})	$\dfrac{1}{v} + \dfrac{1}{b}$ (m^{-1})
1,00	0,18	1,00	5,56	6,6
0,75	0,19	1,33	5,26	6,6
0,60	0,20	1,67	5,00	6,7
0,50	0,22	2,00	4,54	6,5
0,40	0,24	2,50	4,17	6,7
0,35	0,27	2,86	3,70	6,6
0,30	0,30	3,33	3,33	6,7
0,25	0,38	4,00	2,63	6,6
0,20	0,62	5,00	1,61	6,6
0,18	1,00	5,56	1,00	6,6
				S (dpt)
∞	$0,15 = f$	0	$6,6 = \dfrac{1}{f}$	$6,6 = \dfrac{1}{f}$

Practicum

Brandpuntsafstand van een positieve lens
Neem een positieve lens waarvan je de brandpuntsafstand niet kent. Er zijn drie manieren om de sterkte van deze lens te bepalen. Probeer deze drie manieren te vinden en voer ze uit. Welke van de drie methoden is volgens jou de meest nauwkeurige?
Opmerking: Bij slechts één van de drie manieren mag je gebruik maken van de lensformule.

Beeldvorming door lenzen
In deze applet wordt het beeld van een voorwerp getekend met behulp van de constructiestralen. Je kunt de plaats en de grootte van het voorwerp instellen en ook de sterkte van de lens. Nu kun je nagaan waar het beeld terecht komt.

Hoe veranderen b en v als je een twee keer vergroot beeld vervangt door een twee keer verkleind beeld? Hoe kun je dit verklaren met behulp van de lensformule? In welke situatie heb je 'geen beeld'? Hoe construeer je een virtueel beeld?
De applet staat op www.sysnat.nl. De opdrachten bij deze applet zijn te vinden in het werkboek.

– De lineaire vergroting is enerzijds gelijk aan de verhouding van de lengte van het beeld en de lengte van het voorwerp en anderzijds gelijk aan de (positieve) verhouding van de beeldafstand en de voorwerpsafstand:

$$N_{lin} = \frac{L_{beeld}}{L_{voorw}} = \left| \frac{b}{v} \right|$$

– Bij beeldvorming door een dunne sferische lens wordt het verband tussen voorwerpsafstand (v) en beeldafstand (b) gegeven door de lensformule:

$$\frac{1}{b} + \frac{1}{v} = \frac{1}{f}$$

– De sterkte van een lens wordt gedefinieerd als:

$$S = \frac{1}{f} \text{ met } f \text{ uitgedrukt in meter}$$

De eenheid van S is dioptrie, afgekort dpt, waarbij 1 dpt = 1 m^{-1}

Een toepassing
Een voorwerp in de vorm van een pijl staat loodrecht op de hoofdas van een bolle lens. De lens heeft een brandpuntsafstand van 20 cm. Van het voorwerp wordt een reëel beeld gevormd. Het beeld is 2,5 keer zo groot als het voorwerp.
Bereken de voorwerpsafstand en de beeldafstand.

Uitwerking
Zowel v als b zijn onbekend. Dus je komt niet verder met alleen de lensformule $\frac{1}{b} + \frac{1}{v} = \frac{1}{f} = \frac{1}{20}$ en ook niet met alleen de vergrotingsformule $N = \left| \frac{b}{v} \right| = 2,5$.
Je moet de formules combineren.
Omdat bij een reëel beeld b en v allebei positief zijn geldt $N = \frac{b}{v}$, ofwel $v = \frac{b}{N}$.

Vul dit in de lensformule in

$$\frac{1}{b}+\frac{1}{v}=\frac{1}{f} \quad \rightarrow \quad \frac{1}{b}+\frac{1}{b/N}=\frac{1}{f} \quad \rightarrow \quad \frac{1}{b}+\frac{N}{b}=\frac{1}{f} \quad \rightarrow \quad \frac{(1+N)}{b}=\frac{1}{f}$$

Daaruit volgt

$$b=f(1+N)$$

Wanneer je f en N invult, vind je

$$b = 20 \cdot (1 + 2{,}5) = 70 \text{ cm}$$

Uit de vergrotingsformule volgt dan

$$v=\frac{b}{N}=\frac{70}{2{,}5}=28 \text{ cm.}$$

Opmerking
Er zijn ook situaties waarbij b negatief is. Als bijvoorbeeld het voorwerp tussen het brandpunt en de lens staat, dan is de voorwerpsafstand kleiner dan f. Er ontstaat dan een virtueel beeld en b is negatief. Voor deze situaties is het uitvoeren van berekeningen waarbij de vergrotingsformule gecombineerd moet worden met de lensformule geen examenstof.

Vragen

46 Uit de lensformule blijkt hoe voorwerpsafstand, beeldafstand en brandpuntsafstand met elkaar samenhangen.
   a Wat bedoelen we met de voorwerpsafstand? En met de beeldafstand?
   b Hoe luidt de lensformule?

47 Om de grootte van het gevormde beeld te vergelijken met de grootte van het voorwerp, heeft men het begrip lineaire vergroting ingevoerd.
   a Leg uit wat hier met het woord 'lineair' wordt bedoeld.
   b Wat betekent het als de vergroting 0,10 is?

Opgaven

48 Bij beeldvorming door een lens zijn vier grootheden van belang: v, b, f en N. Bij de volgende vier vragen zijn er steeds twee van de vier gegeven en worden de overige twee gevraagd.

	Gegeven:					
a	$v = 15$ cm	en	$b = +60$ cm.		Bereken f en N.
b	$v = 28$ cm	en	$f = +20$ cm.		Bereken b en N.
c	$v = 25$ cm	en	$N = 3{,}2 \times$.		Bereken b en f.
d	$f = 12$ cm	en	$N = 6{,}0 \times$.		Bereken v en b.

49 In een lichtkastje bevindt zich een gloeilampje. De gloeidraad van dit lampje wordt met behulp van een lens scherp afgebeeld op een scherm. De opstelling is in figuur 5.61 schematisch weergegeven. Deze figuur is niet op schaal. De brandpuntsafstand van de lens is 10,5 cm. De afstand x is niet bekend.

a   Toon aan dat $x = 2,8$ cm.
Het beeld van de gloeidraad op het scherm heeft een lengte van 4,4 cm.
b   Bereken de lengte van de gloeidraad.

Figuur 5.61

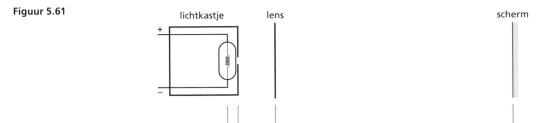

50   Een dia van 40 mm bij 30 mm wordt met een projector op een scherm afgebeeld. Dit scherm is 160 cm breed en 120 cm hoog. De afstand tussen het scherm en de projectielens is 480 cm. De projector wordt zo ingesteld, dat er een beeld op het scherm ontstaat, dat precies op het scherm past.
a   Bereken de afstand van de dia tot de lens.
De dia wordt verwisseld. De nieuwe dia meet 32 mm bij 24 mm. Aan de opstelling wordt verder niets gewijzigd.
b   Beredeneer of de afbeelding van deze dia op het scherm wel of niet scherp is.
c   Bereken welk deel van de oppervlakte van het scherm door het beeld van de dia is gevuld.
Om de nieuwe dia groter op het scherm afgebeeld te krijgen, wordt het scherm op grotere afstand van de lens gezet. Het gehele scherm wordt nu wel gevuld, maar de afbeelding is niet scherp meer. Door de lens ten opzichte van de dia te verschuiven kan weer een scherpe afbeelding verkregen worden.
d   Moet de lens dan iets naar de dia toe of iets van de dia af worden verschoven? Licht je antwoord toe.
e   Bereken voor deze nieuwe situatie de lineaire vergroting.

51   Met een projector wordt een dia van 36 mm bij 24 mm afgebeeld op een scherm van 200 cm bij 120 cm. De projectielens heeft een brandpuntsafstand van 10 cm.
a   Bereken hoe groot de afstand van deze lens tot het scherm moet zijn om een zo groot mogelijk beeld van de hele dia op het scherm te krijgen.
Tegen de lens wordt een diafragma geplaatst. Daardoor kunnen lichtstralen alleen nog door het middelste deel van de lens heen.
b   Wat gebeurt er dan met de lichtsterkte van het beeld? Licht je antwoord toe.
c   Wat gebeurt er met de afmetingen van het beeld? Licht je antwoord toe.

52 Sonja wil een foto maken van een toren die 30 m hoog is. Het beeld van deze toren wordt door de lens van haar fototoestel afgebeeld op een film. Afbeeldingen op de film hebben een formaat van 24 mm bij 36 mm. Sonja wil op zodanige afstand gaan staan, dat de hele toren wordt afgebeeld en dat de lengte van het beeld van de toren 36 mm wordt. De standaardlens van haar fototoestel heeft een brandpuntsafstand van 55 mm.

Bij het fotograferen van ver verwijderde voorwerpen, zoals in dit geval de toren, mag worden aangenomen dat de beeldafstand gelijk is aan de brandpuntsafstand van de gebruikte lens.

a Bereken hoe groot de afstand tussen de toren en de lens moet zijn.

Het plein voor de toren is echter te klein om de hele toren met deze lens te fotograferen. Sonja heeft een toestel waarbij de lens verwisseld kan worden. Zij heeft de beschikking over twee andere lenzen: een lens A met een brandpuntsafstand van 135 mm en een lens B met een brandpuntsafstand van 28 mm. Met een van deze lenzen kan vanaf het plein wél de hele toren worden gefotografeerd.

b Leg uit of zij de standaardlens moet vervangen door lens A of door lens B om de hele toren op de foto te krijgen.

53 Jacob heeft een fototoestel waarvan de standaardlens een brandpuntsafstand van 55 mm heeft. Hij wil een rond muntstuk van zeer dichtbij fotograferen. Met de standaardlens alleen lukt dat niet. Daarom maakt Jacob gebruik van een 'tussenring'. Zie figuur 5.62. Dit is een holle cilinder die uitsluitend bedoeld is om de beeldafstand te vergroten. Na het monteren van de tussenring bedraagt de beeldafstand 99 mm.

Jacob kan nu een scherpe foto van het ronde muntstuk maken. Na het ontwikkelen van de film blijkt het beeld van dit muntstuk precies binnen het formaat van 24 mm bij 36 mm te passen.

Bereken de diameter van het muntstuk.

Figuur 5.62

54 Een voorwerp staat op 80 cm afstand van een scherm. Tussen lens en scherm staat een positieve lens die een 3,0 maal vergroot beeld van het voorwerp op het scherm vormt.

a Bereken de brandpuntsafstand van de lens.

Door zowel het voorwerp als de lens te verschuiven, ontstaat op het scherm een 5,0 maal vergroot beeld van het voorwerp.

b In welke richting en over welke afstand is de lens verschoven? En het voorwerp? Ga dit na door middel van berekening.

55 Op de hoofdas van een positieve lens is een puntvormige lichtbron L geplaatst op 30 cm voor de lens. Zie figuur 5.63. De lens, die een brandpuntsafstand heeft van 20 cm, is in een vlakke plaat geplaatst. Zo wordt voorkomen dat licht langs de lens valt. Loodrecht op de hoofdas is een scherm S gezet op 50 cm achter de lens.

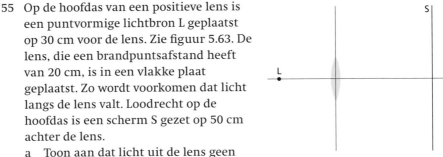

Figuur 5.63

a Toon aan dat licht uit de lens geen lichtpunt vormt op het scherm, maar een (cirkelvormige) lichtvlek.

Door het scherm te verschuiven verandert de diameter van de lichtvlek. Het blijkt dat het scherm op een andere plaats is te zetten waar de diameter van de lichtvlek even groot is als in de eerste situatie.

b Op welke afstand van de lens moet het scherm dan staan?

Het scherm wordt op 60 cm afstand van de lens gezet, de lichtvlek is dan een lichtpunt. Vervolgens wordt de lichtbron L langzaam naar de lens toe geschoven. Hierdoor ontstaat op het scherm een steeds grotere lichtvlek. In figuur 5.64 is de diameter d van de lichtvlek uitgezet als functie van de voorwerpsafstand v.

c Bepaal de diameter van de lens.

Figuur 5.64

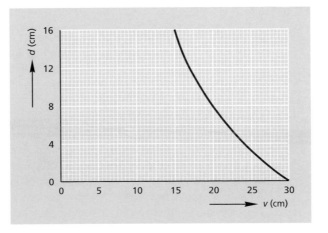

De lichtbron L wordt op 15 cm van de lens gezet. Vervolgens wordt het scherm in de richting van de lens verschoven.

d   Leg uit of de diameter van de lichtvlek op het scherm hierbij groter dan wel kleiner wordt.

56 Op een optische bank zijn een lampje L, een positieve lens en een LDR met diafragma geplaatst. Zie figuur 5.65a. Een LDR (Light Dependent Resistor) is een lichtgevoelige weerstand. Dit blijkt uit het feit dat de stroommeter een grotere wijzeruitslag geeft, als er meer licht op de LDR valt.

Figuur 5.65a

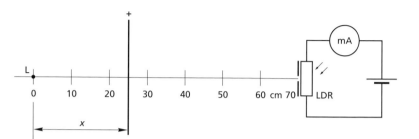

Figuur 5.65b

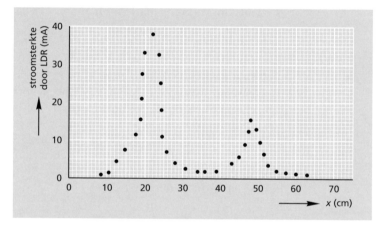

De afstand tussen het lampje en de LDR wordt constant gehouden, terwijl de lens van links naar rechts langs de optische bank wordt verschoven. Daardoor wordt de stroomsterkte door de LDR gemeten als functie van de afstand x tussen lampje en lens. De meetresultaten zijn weergegeven in figuur 5.65b.

a   Op welke plaats moet het beeldpunt van L zich bevinden als een piekwaarde wordt gemeten in de stroomsterkte?

b   Bepaal de brandpuntsafstand van de lens.

c   Leg uit waarom er twee keer een maximum wordt gemeten in de stroomsterkte bij het van links naar rechts verplaatsen van de lens.

d   Leg uit waarom de top van de rechterpiek lager is dan de top van de linkerpiek.

Om informatie uit de omgeving te verzamelen, gebruiken mensen hun zintuigen. Daarbij is het oog wel het belangrijkste zintuig. Een goede *werking van het oog* is dan ook erg belangrijk.

Het menselijk oog

In figuur 5.66 staat een doorsnede van het menselijk oog. Het licht doorloopt het oog van links naar rechts. Allereerst wordt het *hoornvlies* gepasseerd, daarna de *oogkamer* en vervolgens gaat het licht via de *pupil* door de *ooglens*. Achter de ooglens bevindt zich het *glasachtig lichaam*. Bij iedere overgang treedt breking op. Uiteindelijk ontstaat er een scherp beeld op het *netvlies* dat zich achter het glasachtig lichaam bevindt. In het netvlies bevinden zich zenuwcellen die het opvallende licht omzetten in elektrische signaaltjes. Deze signaaltjes gaan via de *oogzenuw* naar de hersenen. Hier ontstaat de gewaarwording die we 'zien' noemen.

Figuur 5.66

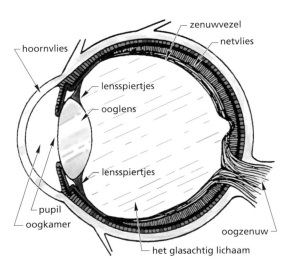

De breking van het licht door het hoornvlies, oogkamer, ooglens en glasachtig lichaam resulteert in dezelfde werking als de breking door één positieve lens. Voor de natuurkunde is het dan ook voldoende om een oog weer te geven als één lens en het netvlies. Dit is gedaan in figuur 5.67.

In de figuur is te zien dat lichtstralen uit één punt van een voorwerp door het oog worden gebroken tot één snijpunt op het netvlies. Het punt K waar de lichtstralen rechtdoor gaan, wordt bij het oog het *knooppunt* genoemd. Het knooppunt is te vergelijken met het optisch middelpunt van een lens.

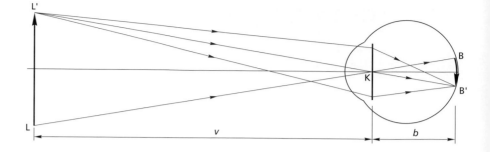

De afstand van het voorwerp tot aan het knooppunt is de voorwerps-afstand, de afstand van knooppunt tot netvlies is de beeldafstand.

Accommodatie van het oog

Om een voorwerp scherp te zien, is het belangrijk dat het beeld precies op het netvlies terecht komt. Nu is in de vorige paragrafen aangetoond dat als de voorwerpsafstand kleiner wordt, de beeldafstand groter wordt. Als dat bij het oog gebeurt, ontstaat er een vage vlek op het netvlies. Het netvlies kan immers niet verder van het oog geplaatst worden. We zouden dan niet scherp zien. Om het beeld toch weer scherp op het netvlies te krijgen moet het licht sterker gebroken worden. Met andere woorden, de lens moet sterker en dus boller worden. Daarvoor zitten er aan de lens spiertjes. Door deze spiertjes samen te trekken of te ontspannen, kan de ooglens boller of platter gemaakt worden. Het boller maken van de lens noemen we *accommoderen*. Is de lens zo plat mogelijk, dan spreken we van een ongeaccommodeerd oog.

Als we kijken naar een voorwerp dat zich ver weg bevindt, dan valt er een vrijwel evenwijdige lichtbundel in ons oog. Zie figuur 5.68a. Het beeld bevindt zich dan in het brandpunt van het oog. De beeldafstand is dan gelijk aan de brandpuntsafstand van het oog. Komt het voorwerp dichterbij dan gaat het oog accommoderen en wordt de brandpunts-afstand kleiner. Dit is te zien in figuur 5.68b. Komt het voorwerp nog dichterbij dan moet de ooglens nog boller worden. Er is echter een grens aan de maximale bolling van de ooglens. Als het voorwerp nog dichter-bij komt, kan het oog niet verder meer accommoderen. De lichtstralen komen niet meer in één punt op het netvlies. We zien het voorwerp niet meer scherp, maar als een vlek. De plaats waar we een voorwerp zo nog net scherp kunnen zien, noemen we het *nabijheidspunt*. Zie de figuren 5.68c en 5.68d.

Figuur 5.68a

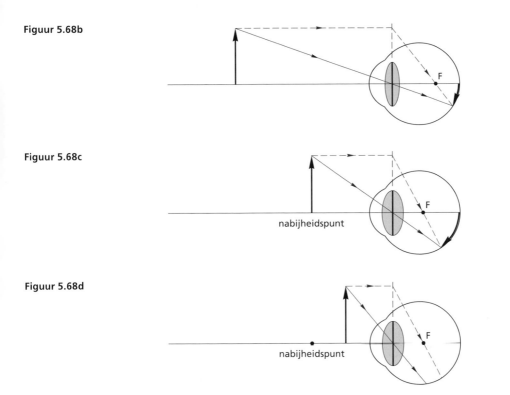

Het nabijheidspunt is het dichtst bij het oog gelegen punt waar je een voorwerp nog net scherp ziet. Het oog accommodeert dan maximaal.

Omgekeerd gaat je oog steeds minder accommoderen als je een voorwerp dat steeds verder van je oog weg gaat, scherp wilt blijven zien. Uiteindelijk is je ooglens zo plat mogelijk. Het voorwerp bevindt zich dan in het vertepunt van het oog. Gaat het voorwerp nog verder weg dan kun je het niet meer scherp zien. Voor mensen met normale ogen ligt dit punt oneindig ver weg.

Het vertepunt is het verst van je oog gelegen punt waar je een voorwerp nog net scherp ziet.

Oogafwijkingen

De plaats van het nabijheidspunt hangt af van de elasticiteit van de ooglens en de sterkte van de lensspiertjes. Als een mens ouder wordt, nemen die allebei af. Voor een kind ligt het nabijheidspunt op ongeveer 15 cm van het oog. Voor een twintigjarige is dat al 25 cm. Als mensen tussen de veertig en vijftig jaar oud zijn, ligt het nabijheidspunt vaak al zo ver weg, dat ze niet meer goed kunnen lezen. Ze moeten het boek of tijdschrift dan zo ver van hun oog houden, dat het beeld van de letters op het netvlies te klein wordt. Ze zijn dan *oudziend* geworden. Om te lezen hebben ze dan een (positieve) bril nodig. Met in de verte kijken hebben ze geen last. Daar hebben ze dan ook geen bril voor nodig.

Sommige mensen hebben echter ook een bril of contactlenzen nodig om in de verte scherp te kunnen zien. Hun ogen breken het licht te sterk, waardoor er geen scherp beeld op het netvlies ontstaat. Pas als het voorwerp dichterbij het oog is gekomen, wordt er een scherp beeld op het netvlies gevormd. Hun vertepunt ligt te dicht bij het oog. Deze mensen worden *bijziend* genoemd, want ze zien zonder hulpmiddel alleen voorwerpen dichtbij het oog scherp. Omdat hun nabijheidspunt ook te dicht bij het oog ligt, kunnen ze voorwerpen op zeer korte afstand nog steeds scherp zien. Je herkent dat soms bij mensen die een bril dragen, maar deze juist afzetten als ze kleine lettertjes moeten lezen. De (negatieve) bril is dan om op grotere afstand scherp te kunnen zien.

Omgekeerd zijn er ook mensen die alleen voorwerpen in de verte scherp kunnen zien. Bij deze mensen ligt het nabijheidspunt te ver van het oog. Zij zijn *verziend*. Met een (positieve) bril of contactlenzen kan ook dit verholpen worden.

Het nut van een loep

Als je een voorwerp duidelijk wilt zien, houd je het dicht bij je oog. Dat heb je misschien wel eens ervaren. Het beeld op je netvlies is dan groter en je kunt de details beter zien. Dit lukt het best als je het voorwerp in het nabijheidspunt van het oog houdt. Deze situatie is weergegeven in figuur 5.69a. Dichterbij heeft geen zin, want dan zie je het voorwerp niet meer scherp. Wil je het voorwerp nog beter waarnemen, dan heb je een hulpmiddel nodig: een loep (vergrootglas).

Een loep is een positieve lens. Figuur 5.69b is een schematische afbeelding van het gebruik van een loep. Je houdt het voorwerp tussen het brandpunt en de lens in. In paragraaf 5.5 is al verteld dat er dan een virtueel beeld ontstaat. Dit beeld wordt gevonden door vanuit L' twee constructiestralen te tekenen. Deze constructiestralen gaan aan de rechterkant niet naar één punt toe. Door de constructiestralen naar links toe te verlengen, vind je wel een snijpunt. Dit is het virtuele beeldpunt B' van L'. Het gehele beeld is dus de pijl BB'.

Door het gebruik van een loep denk je BB' te zien in plaats van LL'. Het is duidelijk dat BB' groter is dan het origineel LL'. Met een loep zie je het voorwerp dus groter en kun je de details ook beter onderscheiden. Ook de lichtstraal die vanuit L' via de loep op je netvlies terecht komt is getekend in figuur 5.69b. Vergelijk je het beeld op het netvlies in figuur 5.69b met dat in figuur 5.69a dan zie je dat ook dit beeld groter is.

Figuur 5.69a

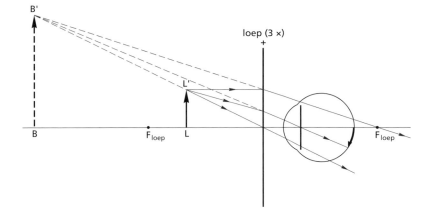

Samenvatting

- Met het blote oog zie je een voorwerp het duidelijkst en scherp als je het in het nabijheidspunt van het oog houdt.
- Met een loep kun je een voorwerp duidelijker zien, omdat je kijkt naar een vergroot virtueel beeld.

Vragen

57 Je kijkt naar een voorwerp dat zich op ongeveer 10 meter afstand van je bevindt. Dit voorwerp zie je wel scherp maar details ervan zie je niet duidelijk.
a Wat betekent het natuurkundig dat je het voorwerp scherp ziet?
Je loopt naar het voorwerp toe om het beter te kunnen bekijken.
b Zie je het voorwerp nu scherper? En zie je de details duidelijker? Licht je beide antwoorden toe.
c Tot hoever moet je doorlopen om met het blote oog de details het duidelijkst te zien?
Als je nog verder doorloopt, ga je het voorwerp en dus ook de details onscherp zien.
d Leg dit uit.

58 Voer het volgende proefje uit. Houd je pen of potlood ongeveer 50 centimeter voor je ogen. Kijk nu vanaf de punt van je pen of potlood snel naar de muur er achter en weer terug. Herhaal dit snel achter elkaar.
a Wat voel je bij je ogen gebeuren?
b Hoe noem je dit verschijnsel?
c Wat gebeurt er als je dit de hele dag zou moeten doen?

59 In deze paragraaf is als optisch instrument de loep ter sprake gekomen.
a Wat is het nut van een loep?
b Waarop berust de werking van een loep?
Kijk je door een loep naar een voorwerp, dan zie je het virtuele beeld van dit voorwerp.
c Wat is het verschil tussen een virtueel beeld en een reëel beeld?

60 Ed is bijziend en kan daardoor details van een postzegel duidelijker zien
dan iemand die niet bijziend is.
a Leg dit uit.
Bij het aanbrengen van mascara op haar oogwimpers maakt Ankie
gebruik van een vlakke spiegel.
b Leg uit op welke afstand haar ogen zich dan van de spiegel moeten
bevinden om haar wimpers zo duidelijk mogelijk te zien.

61 Kleine kinderen hebben er geen enkel probleem mee een draad door het
oog van een naald te steken.
Geef hiervoor een verklaring.

62 Een auto bevindt zich op 10 meter afstand van je. Je loopt naar de auto toe
tot de afstand 2 meter is. Het beeld van de auto op je netvlies blijft daarbij
scherp.
a Welke grootheid v, b of f verandert daarbij niet?
Een fototoestel heeft een lens met een vaste brandpuntsafstand. Met zo'n
toestel maak je scherpe foto's van de auto. Eerst op een afstand van 10 m,
daarna op een afstand van 2 m.
b Welke grootheid v, b of f verandert daarbij niet?
c Leg uit hoe het mogelijk is dat je met dit fototoestel zowel op 10 meter
afstand als op 2 meter afstand een haarscherpe foto kunt maken.

63 De bril werd uitgevonden rond 1300, de telescoop en microscoop rond
1600. Alle drie de instrumenten werken met lenzen. De bril werd met
open armen ontvangen door de mensen, de telescoop en microscoop
echter niet. De eerste gebruikers van deze instrumenten werden niet
geloofd als ze beschreven wat ze zagen.
a Waarom werd de bril met open armen ontvangen, denk je?
b Zoek op internet de geschiedenis op van de telescoop en de microscoop.
Zoek het antwoord op de volgende vragen:
– Waarom heeft het na de uitvinding van de bril nog driehonderd
jaar geduurd voordat de telescoop en microscoop werden uitgevonden?
– Wie waren de uitvinders van de telescoop en van de microscoop?
– Wie waren de eerste gebruikers van de telescoop en van de microscoop?
– Waarom werden de eerste gebruikers niet geloofd?
– Welke belangrijke bijdrage hebben de telescoop en de microscoop
geleverd aan onze huidige wereld?

In deze paragraaf worden enkele toepassingen van optische principes besproken.

Voorbeelden zijn de video- en fotocamera. Bij deze apparaten wordt het waargenomen beeld vastgelegd om later weer vertoond te worden. Dit vertonen kan met behulp van een beamer of een projector. Ook in de medische wereld wordt veel gebruik gemaakt van optische technieken, zoals bij laserbehandelingen en het uitvoeren van operaties waarbij glasvezels worden gebruikt voor lichtgeleiding.

De diaprojector

De bedoeling van een *diaprojector* is om een vergroot, kleurgetrouw beeld van een dia op een scherm te krijgen. De dia is dus het voorwerp. In figuur 5.70 is een dwarsdoorsnede te zien van een diaprojector en de stralengang.

Figuur 5.70

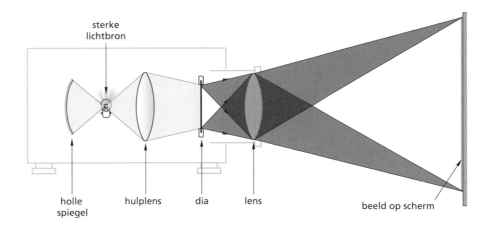

sterke lichtbron

holle spiegel   hulplens   dia   lens   beeld op scherm

Het licht van de lamp valt via een hulplens op de dia. Ieder punt van de dia verstrooit het doorgaande licht en werkt als een kleurenfilter. Door het verstrooien van het licht werkt de dia nu als lichtgevend voorwerp. Elk voorwerpspunt laat slechts één kleur door. Het doorgelaten licht valt op een positieve lens. De lens maakt van het voorwerp een beeld op het scherm. Het scherm weerkaatst het licht diffuus. Het gevolg is dat iedereen in de ruimte het beeld kan zien.

In figuur 5.70 zijn de voorwerpsafstand en de beeldafstand te herkennen. De voorwerpsafstand is de afstand van dia tot lens en de beeldafstand is de afstand van lens tot scherm. De diaprojector staat niet altijd op dezelfde afstand van het scherm. Dus de beeldafstand is niet steeds hetzelfde. De brandpuntsafstand van de lens is wel constant. Dat betekent dat de voorwerpsafstand veranderd moet kunnen worden. Dat kan gedaan worden door de lens in de projector te verschuiven.

Om te zorgen dat het beeld zo kleurgetrouw mogelijk is, moet er wit licht met een grote intensiteit op de dia vallen. De lamp is meestal een halogeenlamp, omdat dit soort lampen wit licht uitzendt. Om te zorgen dat zoveel mogelijk licht van de lamp op de dia valt, zijn een holle spiegel en een hulplens toegevoegd. De holle spiegel is zo geplaatst dat er nog veel van het naar achteren uitgezonden licht na weerkaatsing via de hulplens op de dia valt. De hulplens vernauwt de lichtbundel, zodat er zo weinig mogelijk licht langs de dia gaat.

De overheadprojector

Met een *overheadprojector* wordt een sheet afgebeeld op een scherm. Een sheet is een doorzichtig plastic vel waar tekst en tekeningen op staan. In figuur 5.71 is een doorsnede van de overheadprojector en de stralengang te zien. De werking is vrijwel gelijk aan die van de diaprojector.

Het licht, afkomstig van een sterke lamp, wordt door de sheet heen gestuurd. De sheet werkt weer als voorwerp. Het licht gaat omhoog naar

Figuur 5.71

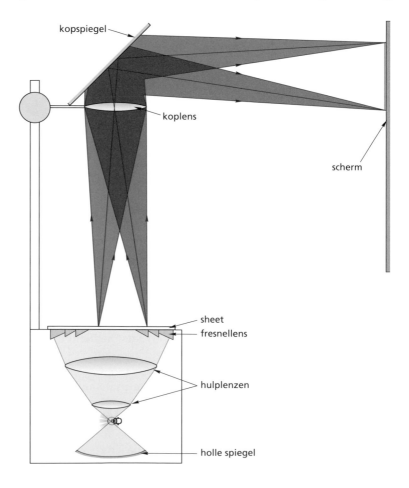

HOOFDSTUK 5

de kop van de projector. In de kop zitten een lens en een spiegel. De koplens maakt van de sheet een beeld op het scherm. De kopspiegel weerkaatst de lichtbundel naar het scherm.

De beamer

De *beamer* wordt gebruikt om computer- of videobeelden op een scherm te laten zien. Het apparaat werkt op dezelfde manier als een diaprojector. In plaats van een dia wordt een LCD-display gebruikt. Zo'n display bestaat uit allemaal kleine vakjes, pixels genaamd, die weer opgedeeld zijn in drie subpixels. Dit is in figuur 5.72 linksboven weergegeven.

Figuur 5.72

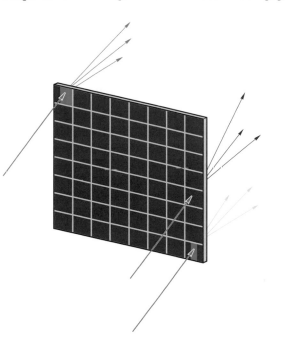

Van een pixel laat één subpixel alleen rood licht door, de tweede alleen groen en de derde alleen blauw licht. De computer regelt de transparantie van de subpixels. Als een rode subpixel helemaal transparant is, dan laat hij veel rood licht door. Als de rode subpixel helemaal niet transparant is, dan komt er geen licht door. Iets dergelijks geldt ook voor de andere subpixels. De computer kan nu alle mogelijke kleuren laten maken. Als je bijvoorbeeld de rode en groene subpixels volledig transparant maakt, dan wordt het scherm geel. Zie figuur 5.72 rechtsonder.

Eenvoudige analoge fotocamera

Met een *analoge fotocamera* wordt een beeld vastgelegd op een film. In figuur 5.73 is de doorsnede te zien van een compacte camera in boven-aanzicht.

Met de fotocamera wordt een voorwerp afgebeeld op de lichtgevoelige film achterin de camera. In de figuur wordt het beeld gevormd door één lens. Maar meestal zit in een camera een samenstel van lenzen, het objectief van

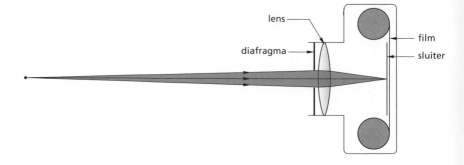

het fototoestel. De afstand tussen de lens en de film is instelbaar. Dat is nodig omdat bij een andere voorwerpsafstand een andere beeldafstand hoort.

Voor de lens zit een diafragma. Dat is een opening waarvan de grootte kan worden veranderd. Het diafragma wordt vooral gebruikt om de hoeveelheid licht die op de film valt te regelen.
Vlak voor de film zit de sluiter. Als je een foto maakt gaat de sluiter even open, zodat er licht van buitenaf op de film kan vallen. Hoe lang de sluiter open gaat is in te stellen. Dus ook met de sluitertijd is de hoeveelheid licht die op de film valt te regelen. Goede fotografen kunnen door te spelen met de diafragma-opening en de sluitertijd speciale effecten creëren.

Om te weten wat er op de film wordt vastgelegd kijkt de fotograaf door een zoeker. Bij een compacte camera is dat een lensje dat recht of schuin boven het objectief is geplaatst. Het beeld dat de fotograaf door de zoeker ziet, is daardoor een beetje anders dan het beeld dat door het objectief op de film wordt afgebeeld. Zeker bij fotograferen op korte afstand is het verschil merkbaar.

Spiegelreflexcamera

Een *spiegelreflexcamera* heeft dit probleem niet omdat de fotograaf door het objectief naar het te fotograferen voorwerp kijkt. Het beeld dat op de film komt is dus gelijk aan het beeld dat in de zoeker te zien is. Hoe dit in zijn werk gaat is te zien in figuur 5.74.

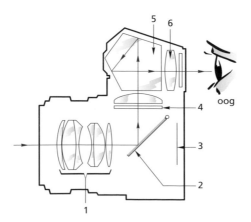

Het licht dat in het objectief (1) komt, valt op een schuine spiegel (2). De spiegel weerkaatst het licht naar een matglazen plaat (4). Op deze plaat wordt het te fotograferen beeld gevormd. De fotograaf kijkt via een vijfhoekig prisma (5) naar de plaat. Het prisma zorgt er voor dat links en rechts niet verwisseld worden. In de zoeker (6) ziet de fotograaf het beeld dan op dezelfde manier als wanneer hij rechtstreeks naar het voorwerp kijkt. Achter de spiegel zit de sluiter met de film (3). Als de fotograaf op de ontspanknop drukt, klapt de spiegel naar boven en gaat de sluiter open. De film wordt dan eventjes belicht.

Digitale fotocamera

Bij een *digitale fotocamera* valt het licht niet op een film maar op een lichtgevoelige sensor, de zogenaamde CCD-chip. CCD staat voor Charge Coupled Device. De chip is opgebouwd uit een paar miljoen gebiedjes. Valt er licht op een gebiedje dan wordt het gebiedje elektrisch geladen. Hoe groter de intensiteit van het licht is, des te groter is de hoeveelheid lading (charge).

Eén gebiedje van de chip wordt net als bij het LCD-display een pixel genoemd. Met behulp van filters registreren sommige pixels alleen rood licht, andere groen licht en weer andere alleen blauw licht. De elektronica in de camera leest de pixels uit en registreert van iedere pixel de hoeveelheid lading en daarmee de intensiteit van het licht dat er op viel. De informatie wordt vastgelegd op een geheugenkaart.

Goedkope digitale camera's hebben vaak weinig pixels op de CCD-chip zitten. Het beeld wordt dan onduidelijk en krijgt een gekartelde rand. In figuur 5.75 is twee keer een afbeelding van hetzelfde fototoestel te zien. In figuur 5.75a zijn veel pixels gebruikt om het fototoestel weer te geven en in figuur b zijn weinig pixels gebruikt. Het karteleffect is in figuur 5.75b duidelijk aanwezig.

Figuur 5.75a en 5.75b

Gebruik van laserlicht

In paragraaf 5.3 heb je gezien dat zonlicht uit een heel spectrum van kleuren bestaat. *Laserlicht* bestaat echter maar uit licht van één kleur. Verder is de lichtbundel die een laser uitzendt bijzonder smal. Doordat het een vrijwel evenwijdige lichtbundel is, spreidt zo'n bundel zich zelfs over grote afstand nauwelijks uit. Door deze eigenschap kan er nauwkeurig mee worden gericht. Hiervan wordt bijvoorbeeld gebruik gemaakt bij de constructie van tunnels en bruggen.

Lasers met een hoog vermogen zenden een lichtbundel uit die een zeer grote intensiteit heeft. Met zulk laserlicht kan een vaste stof plaatselijk zo sterk worden verhit dat het gaat smelten. Hierdoor is het mogelijk om met zeer grote nauwkeurigheid allerlei materialen – van textiel tot stalen platen – te snijden. Zie figuur 5.76. Ook het boren van gaatjes in zeer harde stoffen zoals diamant is mogelijk.

Figuur 5.76

Laseren in de gezondheidszorg

Ook in de geneeskunde wordt laserlicht op grote schaal toegepast. Zo kan huidkanker ermee worden behandeld of kan een gedeeltelijk losgelaten netvlies van het oog ermee worden 'vastgelast'.

Als je een negatieve bril nodig hebt, dan is je ooglens te sterk. Het is mogelijk om dat met een laserbehandeling aan te passen. Er worden dan kleine sneetjes in het hoornvlies gemaakt, zodat het minder bol wordt. Zie figuur 5.77. Een bril of contactlenzen zijn dan niet meer nodig. Ook voor schoonheidscorrecties wordt steeds vaker gebruik gemaakt van lasertherapie. Denk hierbij aan het verwijderen van tatoeages, kleine rimpeltjes of overmatige haargroei.

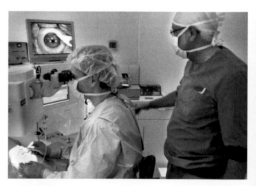

Figuur 5.77

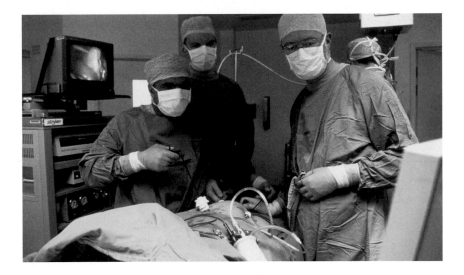

Glasvezel en geneeskunde

In paragraaf 5.3 is besproken hoe een glasvezel gebruikt kan worden om licht over grotere afstanden te transporteren.

Een instrument waarbij gebruik wordt gemaakt van glasvezels is de endoscoop. Hiermee is het mogelijk om bij een kleine kijkoperatie binnen in bijvoorbeeld de knie, dikke darm of maag te kijken, zonder het betreffende deel helemaal open te moeten leggen. Zie figuur 5.78. Tijdens zo'n operatie kunnen zelfs kleine ingrepen worden uitgevoerd. De arts volgt zijn eigen werk via het beeldscherm. Het voordeel van operaties met een endoscoop zou zijn dat de patiënt er minder last van heeft en sneller herstelt. Vreemd genoeg blijkt uit onderzoek dat patiënten die op de normale manier geopereerd zijn, even snel herstellen als patiënten die met behulp van de endoscoop zijn geopereerd.

Vragen

64 In sciencefictionfilms wordt nogal eens met laserpistolen geschoten. Van welke eigenschap(pen) van het laserlicht wordt daarbij gebruik gemaakt?

65 Een gloeilamp van 75 W geeft 4 W aan lichtvermogen af. Van de helium-neonlasers die op scholen worden gebruikt, heeft de lichtbundel een vermogen van ongeveer 1 mW.
Hoe is dan te verklaren dat het geen gevaar oplevert als je naar zo'n gloeilamp kijkt, maar wel als je in de laserbundel kijkt?

66 a Kijkoperaties kunnen tegenwoordig ook op afstand worden bestuurd en uitgevoerd, maar sommige artsen vinden dat onzin. Waarom zouden ze dat vinden? Ben je het met ze eens?
   b Noem twee andere optische technieken die vrij nieuw zijn. Geef bij beide een voor- en een nadeel.

67 Bij een spiegelreflexcamera moet de loodrechte afstand tussen een punt van de spiegel en de film gelijk zijn aan de loodrechte afstand tussen datzelfde punt van de spiegel en de matglazen plaat. Leg dit uit.

68 Een beamer wordt gebruikt om een computerbeeld op een scherm te projecteren. Het LCD-display in de beamer is 1024 pixels breed en 768 pixels hoog. De afstand tussen LCD-display en lens bedraagt 3,70 cm. De beamer staat op 3,20 meter van het scherm. Op het scherm ontstaat een beeld van 1,80 m hoog en 2,40 m breed.

a Bereken de sterkte van de gebruikte lens.

b Bereken de afmetingen van het LCD-display.

Hanna zit te dicht bij het scherm, waardoor zij de afzonderlijke beeld-punten ziet waaruit het beeld is opgebouwd. Zij kan twee punten op het scherm afzonderlijk zien als de afstand tussen de twee beelden van die punten op haar netvlies groter is dan 25 μm. De beeldafstand in haar oog is 18 mm.

c Bereken hoe groot de afstand tussen Hanna en het scherm minstens moet zijn, zodat zij de afzonderlijke beeldpunten niet meer waar-neemt.

69 **Gebruik het werkboek voor het maken van deze opgave.**
Met een overheadprojector kan van een beschreven sheet een beeld gemaakt worden op een scherm. De sheet ligt daarbij op een horizontale glasplaat en wordt vanaf de onderkant belicht. Het scherm bevindt zich tegen een wand achter de spreker. Zie figuur 5.79. Hierin is de kop van de overheadprojector ook vergroot weergegeven.

Figuur 5.79

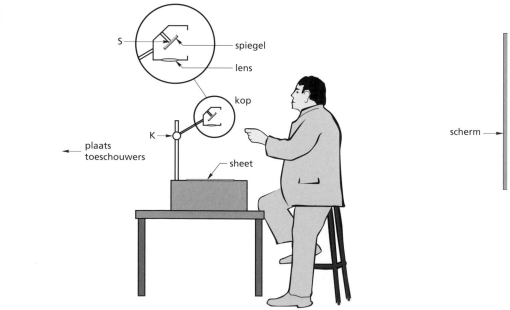

De tekst wordt afgebeeld door een lens en een spiegel die zich in de kop van de overheadprojector bevinden. De kop is in verticale richting te verschuiven met behulp van knop K. Bovendien kan de spiegel om scharnierpunt S gedraaid worden. In figuur 5.80 zijn drie lichtstralen getekend die vanaf punt A van de sheet via lens en spiegel op het scherm vallen.

Een deel van figuur 5.80 is in het werkboek vergroot weergegeven. Daar is vanaf punt A alleen de lichtstraal getekend die midden op de lens valt. Punt B is een ander punt van de sheet.
a   Construeer in het werkboek in figuur W5.15a hoe de lichtstraal, die vanaf B door het midden van de lens loopt, na spiegeling verder gaat.
Figuur 5.80 is in het werkboek nogmaals vergroot weergegeven. Maar weer is vanaf punt A alleen de lichtstraal getekend die midden op de lens valt. De schaal van die figuur in het werkboek is 1:15. De hoek die de spiegel maakt met het horizontale vlak is gelijk aan 45°.
Sommige toeschouwers kunnen het beeld niet geheel zien omdat het zich vanuit hun positie achter de kop van de overheadprojector bevindt.
Daarom draait de spreker de spiegel zó om punt S, dat de lichtstraal die vanaf A door het midden van de lens gaat, 42 cm hoger op het scherm terecht komt.
b   Bepaal met behulp van figuur W5.15b in het werkboek over welke hoek de spreker de spiegel daartoe draait. Geef de uitkomst in twee significante cijfers.
Het beeld van A blijkt nu niet meer scherp te zijn.
c   Beredeneer of de spreker de kop van de overheadprojector omhoog of omlaag moet schuiven om punt A weer scherp af te beelden.

70 **Gebruik het werkboek voor de beantwoording van de vragen b en c van deze opgave.**
In de industrie wordt tegenwoordig gebruik gemaakt van lasers bij het snijden van plaatmaterialen. De laserbundel draagt hierbij zijn energie over aan het materiaal, waardoor het zo heet wordt dat het verdampt.
Een groot voordeel is dat er heel nauwkeurig gewerkt kan worden. Twee dingen zijn van groot belang. De doorsnede van de lichtbundel is bepalend voor de nauwkeurigheid van het snijwerk. Daarnaast moet de lichtbundel

een maximale intensiteit hebben op de plaats waar het materiaal geraakt wordt, want anders wordt het materiaal niet heet genoeg om te kunnen verdampen.

De ronde lichtbundel van de laser heeft een diameter van 2,0 mm en een vermogen van 50 mW. De intensiteit van de lichtbundel is het vermogen per oppervlakte-eenheid.

a Bereken de intensiteit van deze lichtbundel in W/cm².

Om de intensiteit te vergroten wordt de evenwijdige laserbundel omgezet in een nieuwe evenwijdige bundel met een diameter van 1,0 mm. Hiervoor worden twee positieve lenzen gebruikt. In figuur 5.81 zijn van de invallende bundel en de uittredende bundel de randstralen getekend.

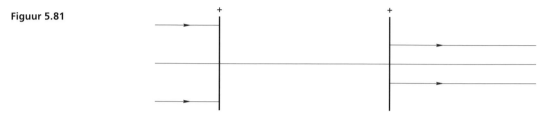

b Teken in het werkboek in figuur W5.16 het verloop van de lichtstralen tussen de lenzen.

De horizontale afstand tussen de lenzen is 9,0 cm.

c Bepaal de brandpuntsafstanden van de twee lenzen met behulp van een berekening.

Om het materiaal heet genoeg te kunnen maken is een intensiteit nodig van 7,0 kW/cm².

d Hoe groot moet de diameter van de bundel minimaal zijn om deze intensiteit te kunnen bereiken?

Om de intensiteit op te voeren tot 7,0 kW/cm², wordt in de bundel van 1,0 mm nog een positieve lens geplaatst. Deze lens heeft een brandpuntsafstand van 50 cm. In het brandpunt is de doorsnede van de bundel uiteraard het kleinst en dus de intensiteit het grootst. In de praktijk blijkt het echter lastig te zijn om de plaats van het brandpunt stabiel te houden.

e Bereken de grootste afstand tussen materiaal en brandpunt waarbij het materiaal nog goed gesneden kan worden. Maak hierbij gebruik van figuur 5.82.

Figuur 5.82

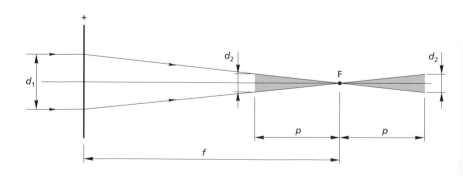

Terugblik

In dit hoofdstuk heb je kennis gemaakt met een aantal eigenschappen van licht en vooral van lichtstralen. Licht verplaatst zich langs rechte lijnen en is zelf niet te zien. Wel zien we de objecten die door het licht verlicht worden en kunnen we schaduwen zien.

Elk materiaal heeft z'n eigen wisselwerking met licht. Licht kan door ondoorzichtige materialen worden verstrooid, gespiegeld en geabsorbeerd. Als een evenwijdige bundel licht wordt verstrooid aan stofdeeltjes, of diffuus wordt weerkaatst door een ruw oppervlak, dan worden afzonderlijke stralen in alle richtingen teruggekaatst. Dit in tegenstelling tot een evenwijdige bundel licht die wordt gespiegeld. Elke afzonderlijke straal wordt dan in dezelfde richting teruggekaatst. Dan geldt ook voor de bundel dat de hoek van inval gelijk is aan de hoek van terugkaatsing.

Vrijwel alle voorwerpen kaatsen een deel van het opvallende licht terug en absorberen de rest. Het percentage dat wordt weerkaatst hangt af van de kleur en de structuur van het voorwerp, maar ook van de invalshoek en de kleur van het opvallende licht.

Doorzichtige voorwerpen weerkaatsen en absorberen het licht ook, maar laten een groot gedeelte van het licht door. De richting van de lichtstralen verandert dan wel: het licht wordt gebroken. Bij de overgang naar een optisch dichtere stof – bijvoorbeeld van lucht naar glas – vindt altijd breking plaats, waarbij de brekingshoek kleiner is dan de invalshoek. Bij de overgang naar een optisch minder dichte stof wordt een lichtstraal alleen gebroken als de invalshoek kleiner is dan de grenshoek. In dat geval is de brekingshoek juist groter dan de invalshoek. Als de invalshoek groter is dan de grenshoek, dan vindt totale terugkaatsing plaats. De lichtstraal verlaat het materiaal dan niet op die plaats, maar wordt spiegelend teruggekaatst. Zo kan het gebeuren dat een lichtstraal eerst meerdere keren wordt teruggekaatst voordat deze het materiaal verlaat. Hoe lang dat duurt, hangt af van de brekingsindex en de vorm van het voorwerp.

Een bolle lens is een doorzichtig voorwerp dat op een zodanige manier is geslepen, dat de lichtstralen naar elkaar toe worden gebroken.
- Lopen de invallende stralen evenwijdig aan elkaar, dan snijden de uittredende stralen elkaar in het brandvlak.
- Lopen de invallende stralen evenwijdig aan de hoofdas, dan snijden de uittredende stralen elkaar in een hoofdbrandpunt.

Door een holle lens worden de lichtstralen juist van elkaar af gebroken.

De lichtstralen die vanuit één punt van een voorwerp op een bolle lens invallen worden door de lens zodanig gebroken dat ze aan de andere kant van de lens weer in één punt samenkomen, het beeldpunt. Omdat dit geldt voor ieder punt van het voorwerp ontstaan er aan de andere zijde van de lens zeer veel beeldpunten. De verzameling beeldpunten vormt *het beeld* van het voorwerp.

De plaats van het beeldpunt kan bepaald worden door de constructiestralen te tekenen. Dit zijn drie speciale lichtstralen waarvan precies bekend is hoe ze door de lens worden gebroken.
- Een lichtstraal door het optisch middelpunt gaat ongebroken rechtdoor.
- Een lichtstraal evenwijdig aan de hoofdas gaat na de lens door het hoofdbrandpunt.
- Een lichtstraal komende uit het hoofdbrandpunt loopt na de lens evenwijdig aan de hoofdas.

Het verband tussen de voorwerpsafstand en de beeldafstand bij gebruik van een lens met een vaste brandpuntsafstand, wordt gegeven door de lensformule.

De lineaire vergroting geeft aan hoeveel keer het beeld groter is dan het voorwerp. Bij een vergroting kleiner dan één is er sprake van een verkleind beeld.

Hoe sterk het licht door de lens wordt gebroken is afhankelijk van de brandpuntsafstand van de lens. Hoe sterker de lens is des te kleiner is de brandpuntsafstand. Behalve over brandpuntsafstand wordt dan ook gesproken over de sterkte van de lens.

In het oog is een belangrijke rol weggelegd voor de lenswerking van de combinatie hoornvlies, oogkamer, ooglens en glasachtig lichaam. Deze combinatie gedraagt zich als een lens met een veranderbare brandpuntsafstand. Het verkleinen van de brandpuntsafstand wordt accommoderen genoemd. Bij de grootste brandpuntsafstand spreken we over een ongeaccommodeerd oog. Door te accommoderen kunnen mensen voorwerpen die op kleinere afstand staan toch scherp op het netvlies krijgen. Dit accommoderen heeft ook zijn beperkingen. Daardoor kunnen mensen slechts scherp zien tussen hun nabijheidspunt en vertepunt. Voor een oog zonder afwijkingen ligt het vertepunt in het oneindige.

Om de details van een voorwerp goed te kunnen zien wordt meestal gebruik gemaakt van een loep. Hiermee kijk je eigenlijk naar een virtueel beeld van het voorwerp dat groter is dan het voorwerp. Een extra voordeel van het gebruik van een loep is dat het oog niet hoeft te accommoderen. Dit is minder vermoeiend voor de waarnemer.

Lenzen worden ook gebruikt in projectoren zoals een diaprojector of beamer. Daarbij wordt een reëel vergroot beeld geprojecteerd op een scherm. In camera's worden lenzen gebruikt voor het maken van foto's of video-opnamen. Er wordt dan een reëel verkleind beeld geprojecteerd op een lichtgevoelige film of, in het geval van een digitale camera, op een speciale chip.

Gegevens die betrekking hebben op dit hoofdstuk

De formules die in dit hoofdstuk besproken zijn, staan hieronder bij elkaar.

terugkaatsingswet	$i = t$
brekingswet van Snellius	$\dfrac{\sin i}{\sin r} = n_{A \to B}$
grenshoek	$\sin g = \dfrac{1}{n}$
lensformule	$\dfrac{1}{f} = \dfrac{1}{v} + \dfrac{1}{b}$
lenssterkte	$S = \dfrac{1}{f}$ f in meter, S in dioptrie
definitie lineaire vergroting	$N_{lin} = \dfrac{\text{grootte beeld}}{\text{grootte voorwerp}}$
lineaire vergroting	$N_{lin} = \left\| \dfrac{b}{v} \right\|$

De formules zijn terug te vinden in BINAS, ze staan in tabel 35 B3 Geometrische optica. De brekingsindices en grenshoeken van verschillende stoffen zijn te vinden in tabel 18. De opbouw van het oog is weergegeven in tabel 87C van BINAS. Gegevens over de brekingsindices in het oog zijn te vinden in tabel 27A. Zorg er bij het rekenen met hoeken voor, dat je rekenmachine is ingesteld op graden.

Vooruitblik en de relatie van dit hoofdstuk met andere hoofdstukken

Van bovenstaande informatie wordt gebruik gemaakt door optometristen, bij het vaststellen van oogafwijkingen en het voorschrijven van brillen of contactlenzen.

In latere hoofdstukken zullen we zien dat licht niet alleen verstrooid, gespiegeld, geabsorbeerd en gebroken kan worden, maar dat het ook energie kan transporteren.

Op de website vind je ook een aantal brede opgaven bij dit hoofdstuk.

Van spiegelende terugkaatsing wordt in allerlei apparaten gebruik gemaakt. In een kopieerapparaat zitten zelfs heel veel spiegels. In een spiegelreflexcamera worden spiegels gebruikt om ervoor te zorgen dat je door de zoeker hetzelfde beeld ziet als op het negatief komt. Een andere toepassing vind je in de cd-speler.

Cd-speler

Een apparaat waarin gebruik wordt gemaakt van de spiegeling van lichtstralen
is een cd-speler.

Op een cd is de informatie opgeslagen
door middel van putjes in het oppervlak.
Laserlicht wordt gericht op een cd en
wordt daar spiegelend teruggekaatst. Zie
figuur 5.83. Op tijdstip t_1 wordt laserlicht
in een putje weerkaatst en bereikt de
sensor. Deze geeft dan een 'hoog' signaal
(een '1') door. Op tijdstip t_2 komt het licht
niet in een putje. De sensor wordt niet
geraakt en zal een 'laag' signaal (een '0')
doorgegeven. Op deze manier ontstaat
een digitaal signaal (met enen en nullen).

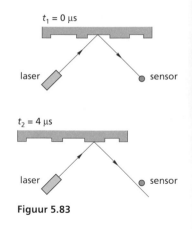

Figuur 5.83

Dit wordt omgezet in een analoog signaal en doorgestuurd naar de luid-
spreker, zodat een voor ons hoorbaar signaal (geluid) kan worden gemaakt.

Luchtspiegeling

Als het in de zomer erg warm is, dan lijkt de weg ook wel eens op een
spiegel. En dat terwijl een wegdek nu niet bepaald een spiegelend oppervlak is. Zie figuur 5.84. Dit effect heeft dan ook niets te maken met
spiegeling maar wel met breking. Vlak boven de weg is de lucht namelijk
veel heter dan een stuk erboven, wat resulteert in een verschil in dichtheid. En zoals je gezien hebt in paragraaf 5.2 wordt licht gebroken als het
in een materiaal komt met een andere dichtheid.

Het licht dat van de auto komt, gaat van de koudere lucht naar de warmere
lucht vlak boven het wegdek. Hier wordt het gebroken en uiteindelijk zelfs
volledig teruggekaatst, waarna het in ons oog terecht komt. Het lijkt alsof
de lichtstraal niet vanaf de auto komt, maar eronder vandaan. Dit kun je
weer vergelijken met 'de gebroken arm' in paragraaf 5.3.

Figuur 5.84

HOOFDSTUK 5

Elektriciteit

Tijdens onweer kan de lucht plotseling elektrisch gaan geleiden. De weg die de geladen deeltjes volgen, krijg je als een bliksemschicht te zien. De temperatuur in de bliksemschicht loopt razendsnel op tot ongeveer 30.000 graden. Op een gloeilamp staat de spanning en het vermogen vermeld. Bijvoorbeeld 230 V, 60 W. Geldt zoiets ook bij bliksem?

Als elektrische lading stroomt, wordt elektrische energie getransporteerd. Een lamp zet die elektrische energie om in licht en warmte. Het voorlicht van een fiets is feller dan het achterlicht. Maar ze zijn op dezelfde spanningsbron aangesloten. Wat is het verschil tussen het voorlicht en het achterlicht? En waarom geeft een lamp in de huiskamer meer licht dan een fietslampje?

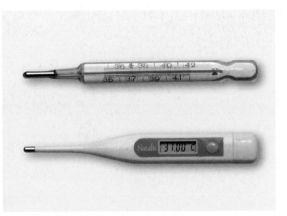

De temperatuur van een vloeistof kun je met verschillende soorten thermometers meten. De bekendste zijn de vloeistofthermometer en de digitale thermometer. In een digitale thermometer zit een elektrische schakeling die de waarde van de temperatuur omzet in een spanningswaarde. Hoe zit zo'n schakeling in elkaar? Welk verband is er tussen de temperatuur en de spanning?

De elektrische apparaten in huis zijn aangesloten op het elektriciteitsnet. Hiervoor worden vier soorten draden gebruikt, elk met een eigen kleur. Wat is hun functie?
Om de elektrische apparaten goed en veilig te laten werken is in elke woning een huisinstallatie aanwezig. De belangrijkste onderdelen ervan vind je in de meterkast. Waarvoor dienen al die onderdelen?

Als je over een bepaalde soort vloerbedekking loopt en dan iemand aanraakt, kun je een schok voelen. Trek je een wollen trui uit dan hoor je geknetter en zie je soms zelfs vonken. Tijdens een onweersbui neem je vergelijkbare verschijnselen waar: donder en bliksem.
Dit heeft allemaal te maken met het verplaatsen van elektrische lading. Als je een lampje aansluit op een batterij gaat het lampje branden. Ook dit heeft te maken met het verplaatsen van elektrische lading.
Wat is elektrische lading? Wanneer kan elektrische lading zich verplaatsen?
Voordat we deze vragen beantwoorden, bespreken we eerst het atoommodel van Rutherford en de bouw van de stoffen. Een onderwerp dat waarschijnlijk bij scheikunde al aan bod is gekomen.

Atoommodel van Rutherford
Volgens het atoommodel van Rutherford bestaat een atoom uit een positief geladen atoomkern met daar omheen een elektronenwolk. Zie figuur 6.1.

Figuur 6.1

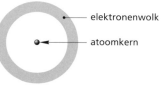

De elektronenwolk is het gebied waarin negatieve elektronen zich met grote snelheid rond de kern bewegen.
De atoomkern bestaat uit neutronen en positief geladen protonen. In een atoom is het aantal protonen in de kern gelijk aan het aantal elektronen in de elektronenwolk.

Bouw van de stoffen

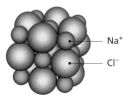

Figuur 6.2

De stoffen zijn in drie groepen te verdelen: zouten; metalen en moleculaire stoffen.
In zouten zijn ionen aanwezig. Voorbeelden van zouten zijn keukenzout, Na^+Cl^- en aluminiumoxide, $Al_2^{3+}O_3^{2-}$. Zie figuur 6.2.

Ionen ontstaan als het aantal elektronen in de elektronenwolk van een atoom verandert. Metaalatomen kunnen een of meer elektronen afstaan. Er ontstaat dan een positief ion. Niet-metaalatomen zijn in staat een of meer elektronen op te nemen. Er ontstaat dan een negatief ion.
De positieve en negatieve ionen in een zout trekken elkaar sterk aan. Zouten zijn dan ook vaste stoffen.

Een stuk metaal is opgebouwd uit metaalatomen. Voorbeelden van metalen zijn koper (Cu) en aluminium (Al). Zie figuur 6.3.

Figuur 6.3

Een metaal is wel neutraal maar de metaalatomen in het metaal laten gemakkelijk een of meerdere elektronen los. Een metaal bestaat dus uit positieve ionen en vrije elektronen. Vrije elektronen zijn niet aan een bepaald ion gebonden. Een vrij elektron kan gemakkelijk van zijn eigen ion naar een aangrenzend ion gaan. Vrije elektronen zwerven dus tussen de metaalionen door.
De positieve ionen en elektronen trekken elkaar natuurlijk sterk aan. Metalen zijn dan ook meestal vaste stoffen.

In moleculaire stoffen zijn moleculen aanwezig. Voorbeelden van moleculen zijn zuurstof (O_2), water (H_2O), methaan (CH_4) en ethaan (C_2H_6). Zie figuur 6.4.

koolstofatoom (C)

zuurstofatoom (O)

waterstofatoom (H)

een molecuul zuurstof (O_2)

een molecuul water (H_2O)

een molecuul methaan (CH_4)

een molecuul ethaan (C_2H_6)

Figuur 6.4

Moleculen ontstaan als atomen van niet-metalen met elkaar verbonden worden door middel van een of meerdere atoombindingen. Een atoombinding bestaat uit twee elektronen: een gemeenschappelijk elektronenpaar. Elk atoom stelt hiervoor een of meerdere elektronen vanuit zijn elektronenwolk beschikbaar. De atoombinding is een sterke binding die vergelijkbaar is met de binding in een metaal. De elektronen in de atoombinding kunnen echter niet vrij bewegen zoals in een metaal.
De moleculen zelf zijn ongeladen en trekken elkaar dus niet sterk aan. Moleculaire stoffen zijn dan ook vaak vloeistoffen of gassen.

Elektrische lading
Er bestaan twee soorten elektrische lading: positieve en negatieve lading. Lading is altijd aan deeltjes – dus aan 'stukjes materie' – gekoppeld. Lading los van materie heeft men nooit waargenomen. Geladen deeltjes noemt men ladingdragers. De ladingdragers die je nu kent zijn elektronen, protonen en ionen.
Een deeltje wordt neutraal genoemd als het geen lading bevat, zoals een neutron, of als het aantal positieve ladingen gelijk is aan het aantal negatieve ladingen, zoals bij een molecuul of atoom.
Geladen deeltjes oefenen krachten op elkaar uit. Hierbij geldt dat ongelijk-

namig geladen deeltjes elkaar aantrekken en dat gelijknamig geladen deeltjes elkaar afstoten.

Je kunt een voorwerp een lading geven door erover te wrijven. Als je over vloerbedekking loopt, worden er elektronen 'losgerukt' uit de atomen die zich aan het oppervlak van de vloerbedekking bevinden. Dit oppervlak krijgt dan een tekort aan elektronen en wordt daardoor positief geladen. De losgerukte elektronen worden door jou opgenomen. Jij krijgt daardoor een overschot aan elektronen en wordt daardoor negatief geladen.
Met bepaalde apparaten, de zogenaamde elektriseermachines, kun je een grote lading op een persoon overbrengen. Deze lading verdeelt zich dan over het gehele lichaam waaronder de haren. De haren krijgen dan dezelfde soort lading. Door de afstotende krachten gaan de haren dan uit elkaar staan. Zie figuur 6.5.

Figuur 6.5 Elektrisch geladen door springen op de trampoline.

De eenheid van elektrische lading: de elementaire lading
De Franse natuurkundige Charles-Augustin de Coulomb, die leefde van 1736 tot 1806, heeft belangrijk onderzoek gedaan naar elektrische verschijnselen. Met name naar de grootte van de krachten tussen elektrisch geladen voorwerpen. Voor elektrische lading is het symbool de letter Q. De eenheid waarin elektrische lading wordt uitgedrukt is naar Coulomb genoemd. Die eenheid wordt afgekort met het symbool C.
Als je het niet wilt afkorten, schrijf je coulomb; dus zonder hoofdletter. Uit proeven is gebleken dat een proton en een elektron de kleinst mogelijke elektrische lading hebben. Die kleinste lading noemt men de *elementaire lading*. Het symbool ervoor is e. De lading van het proton is $+e$, de lading van het elektron is $-e$.
De elementaire lading heeft een grootte van $1{,}60 \cdot 10^{-19}$ C. Deze waarde is een natuurconstante. In tabel 7 van BINAS is deze waarde vermeld als 'elementair ladingskwantum'.
De ladingen die je in de natuur kunt waarnemen, hebben dan waarden $\pm e$, $\pm 2e$, $\pm 3e$ enzovoorts. De elementaire lading is zeer klein. Er zijn zeer veel elektronen nodig om een voorwerp een merkbare lading te geven.

Een voorbeeld
Een metalen bol die negatief geladen is, heeft een overschot aan elektronen. Bedraagt de lading van de bol $-8{,}0 \cdot 10^{-7}$ C, dan bestaat het overschot uit $\dfrac{-8{,}0 \cdot 10^{-7}}{-1{,}60 \cdot 10^{-19}} = 5{,}0 \cdot 10^{12}$ elektronen.

Geleiders en isolatoren

Een stof waarin geladen deeltjes zich gemakkelijk kunnen verplaatsen, noemen we een geleider. Voorbeelden zijn metalen en oplossingen van zouten in water

Een isolator is een stof waarin zich geen of weinig geladen deeltjes kunnen verplaatsen. Voorbeelden zijn plastic, rubber, hout en (onder normale omstandigheden) gassen.

Geleiding

Als een stof geleidt, zijn er geladen deeltjes die vrij kunnen bewegen. Dit kunnen elektronen, positieve ionen en/of negatieve ionen zijn. Metalen zijn goede geleiders. Hiervoor zorgen de vrije elektronen. De positieve ionen blijven hierbij op hun plaats. Vrije elektronen zwerven dus tussen de metaalionen door. Koper is een van de best geleidende metalen. Het wordt daarom ook gebruikt in het elektriciteitsnet. In de figuren 6.6a en b zie je situaties waarin isolatoren en geleiding door metalen tegelijkertijd toegepast zijn.

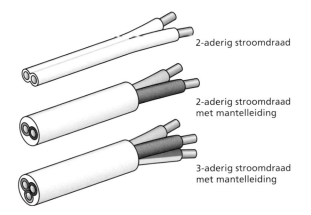

2-aderig stroomdraad

2-aderig stroomdraad met mantelleiding

3-aderig stroomdraad met mantelleiding

Figuur 6.6a en 6.6b

Als een zout opgelost is in water kunnen de positieve en negatieve ionen ook vrij bewegen. In het grondwater in de aarde komen veel soorten ionen voor. Daardoor gedraagt de aarde zich als een (zeer grote) geleider. Ook je eigen lichaam is een geleider. Je lichaam bevat namelijk veel water waarin zouten zijn opgelost. Denk hierbij aan celwater, weefselvloeistof en bloed.

Elektrische stroom en elektrische spanning

Het verplaatsen van geladen deeltjes noemt men elektrische stroom. Om een elektrische stroom te laten lopen, heb je een spanningsbron, zoals een batterij, nodig. De aansluitpunten van een spanningsbron heten respectievelijk de positieve pool of pluspool en de negatieve pool of minpool.

Tussen de twee aansluitpunten staat een bepaalde spanning. Onder elektrische spanning tussen twee punten A en B verstaat men de hoeveelheid elektrische energie die omgezet wordt als 1 coulomb lading stroomt van A naar B.

Het symbool van de grootheid elektrische spanning is U. De eenheid van spanning is joule per coulomb. Joule per coulomb wordt volt genoemd. Volt wordt afgekort tot V.

Stel dat op een batterij staat vermeld: 1,5 V, dan weet je dat de spanning tussen de polen 1,5 V bedraagt. Ofwel: $U = 1,5$ V. Dat wil zeggen: als 1 coulomb lading zich van de ene pool naar de andere pool verplaatst wordt er 1,5 J aan elektrische energie omgezet. Stroomt er echter 2,0 coulomb aan lading dan wordt er dus 3,0 J aan elektrische energie omgezet. Voor de hoeveelheid elektrische energie die omgezet wordt geldt dus:

$$E_{elektrisch} = Q \cdot U$$

- $E_{elektrisch}$ is de hoeveelheid energie in joule (J).
- Q is de lading in coulomb (C).
- U is de spanning volt (V).

Enkele soorten spanningsbronnen

Spanningsbronnen die je tijdens het natuurkundepracticum gebruikt, zijn de batterij en het voedingskastje. Een batterij heeft één of meerdere cellen. De spanning over de polen van een batterij ontstaat door een aantal chemische reacties in de cel. De spanning over één cel is 1,5 V. In figuur 6.7a zie je batterijen die uit één cel bestaan. Dat zijn dus batterijen van 1,5 V. In figuur 6.7b zie je de schematische weergave van een batterij.

Figuur 6.7a en 6.7b

Wanneer je twee van die batterijen in serie schakelt, waarbij de minpool van de een met de pluspool van de ander verbonden wordt, krijg je een spanningsbron van 3,0 V. Zie figuur 6.8.
Wanneer je twee batterijen in serie schakelt maar daarbij de twee plus-polen met elkaar verbindt, dan staat er over het geheel een spanning van 0 V.

Figuur 6.8 en 6.9

In figuur 6.9 is een batterij afgebeeld die uit drie cellen bestaat. Dat is dus een batterij van 4,5 V.

Batterijen hebben als nadeel dat je ze niet onbeperkt kunt gebruiken. Zodra in een cel geen scheikundige reacties meer kunnen optreden, is er ook geen spanning meer tussen beide polen van de cel. De cel is dan 'uitgeput' en niet meer te gebruiken.

Een voedingskastje moet je op het elektriciteitsnet aansluiten. Het geeft dus niet uit zichzelf een spanning af. Er zijn voedingskastjes die een vaste spanning afgeven. Maar er zijn ook voedingskastjes met een regelbare spanning. Zie figuur 6.10a.

De spanning die zo'n voedingskastje afgeeft, kan van 0 V tot bijvoorbeeld 30 V worden gevarieerd. We noemen zo'n voedingskastje ook wel een variabele spanningsbron. In figuur 6.10b zie je het symbool van een variabele spanningsbron.

Figuur 6.10a en b

Netspanning

In huis worden de meeste elektrische apparaten aangesloten op het elektriciteitsnet. De spanning van het elektriciteitsnet, de netspanning, bedraagt in Nederland 230 V.
De spanning van het net is een wisselspanning. Dat betekent dat niet steeds één pool positief is en de ander negatief, maar dat ze steeds van rol verwisselen. Dat gebeurt 50 keer per seconde. De wisselspanning heeft dan een frequentie van 50 Hz. De stroomrichting wisselt daardoor ook steeds. Je spreekt dan over wisselstroom.

Samenvatting

Als een stof geleidt dan zijn daar bepaalde ladingdragers voor verantwoordelijk:
- In een geleidende vaste stof zijn dat vrije elektronen.
- In een geleidende vloeistof zijn dat ionen.
Elektrische stroom is een transport van geladen deeltjes.
Wil je tussen twee punten een elektrische stroom laten lopen, dan moet er een spanning tussen die twee punten zijn en moeten er vrij bewegende ladingdragers zijn.
Het symbool van spanning is U. De eenheid van spanning is volt of joule per coulomb.
Voor de hoeveelheid elektrische energie die omgezet wordt geldt:

$$E_{elektrisch} = Q \cdot U$$

1 Een magnesiumatoom bevat 12 protonen en 12 elektronen.
 a Waarom is in een atoom het aantal protonen in de kern gelijk aan het aantal elektronen in de elektronenwolk?
 De elementaire lading is gelijk aan $1,6 \cdot 10^{-19}$ C.
 b Zoek de nauwkeurige waarde van de elementaire lading op in BINAS.
 c Bereken de lading van de kern van het magnesiumatoom uitgedrukt in coulomb. Geef je antwoord in twee significante cijfers.
 Een magnesiumatoom wordt vaak een ongeladen deeltje genoemd.
 Het woord ongeladen is hier ongelukkig gekozen.
 d Maak dit duidelijk.
 Een magnesiumion heeft de formule Mg^{2+}.
 Milou zegt: 'Dit komt omdat er protonen teveel zijn'.
 Nadieh zegt: 'Nee, dat klopt niet. Er zijn namelijk elektronen te weinig'.
 e Welke uitspraak vind je het beste? Licht je antwoord toe.

2 Er kan elektrische geleiding plaatsvinden als in een stof ladingsdragers aanwezig zijn die vrij kunnen bewegen. Zo'n stof wordt een geleider genoemd. Een metaal is een goede geleider.
 a Welke deeltjes zijn verantwoordelijk voor de geleiding?
 b Hoe noemt men een stof die niet of nauwelijks de elektrische stroom geleidt?

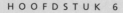

Figuur 6.11

3 In figuur 6.11 zie je het symbool van een spanningsbron. Het + teken en het − teken ontbreken echter.
 a Moet in figuur 6.11 het + teken staan bij de lange dunne streep of bij de korte dikke?
 De spanningsbron is een batterij van 1,5 V. De batterij levert 3,0 J aan energie.
 b Hoeveel lading is er dan van de ene pool naar de ander pool gestroomd?
 In een zaklantaarn zijn twee van zulke batterijen in serie op elkaar aangesloten. Tijdens het branden van de lamp in de zaklamp is er 3,0 J aan energie nodig.
 c Hoeveel lading moet er dan door de lamp stromen?

4 In huis worden de meeste elektrische apparaten aangesloten op het elektriciteitsnet.
 a Hoe groot is de netspanning in Nederland?
 De spanning van het net is een wisselspanning.
 b Wat betekent dit?

5 Een vliegtuig krijgt door wrijving in de lucht een grote lading. Na de landing moet het vliegtuig eerst worden geaard. Dit wil zeggen dat er een

geleidende verbinding met het grondwater gemaakt wordt. Daarna kan het vliegtuig pas worden bijgetankt.
a Waarom ontlaadt het vliegtuig niet vanzelf op het moment dat het landt?
b Waarom is het gevaarlijk om een geladen vliegtuig bij te tanken?

6 Een lamp is aangesloten op het elektriciteitsnet. Als de lamp een uur brandt, is er 939 C aan lading door de lamp gestroomd.
a Hoe groot is de waarde van de spanning van het elektriciteitsnet?
b Bereken hoeveel elektrische energie door de lamp in een uur is omgezet in licht en warmte.

7 Een metalen bol heeft een lading van $(+)7,2 \cdot 10^{-6}$ C.
a Heeft de bol een overschot of een tekort aan elektronen?
b Bereken uit hoeveel elektronen het overschot / tekort bestaat.
Door de bol de genoemde lading te geven, verandert de massa van de bol.
c Zoek in tabel 7 van BINAS de massa van een elektron op.
d Bereken de massaverandering van de bol. Conclusie?

8 **Gebruik het werkboek voor het maken van deze opgave.**
In figuur 6.12a is de doorsnede van een eenvoudig type spanningsbron getekend.

Figuur 6.12a en b

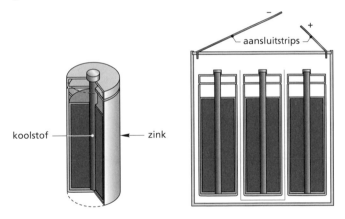

Het is een batterij die uit een enkele cel bestaat. De cel bestaat uit een cilindervormig bakje van zink, waarin zich een bepaald mengsel van stoffen bevindt en een staafje van koolstof. Ten gevolge van chemische reacties vormt zich tussen het zinken bakje en de koolstofstaaf een spanning van 1,5 volt. Het bakje is dan de negatieve pool.
Door drie van deze cellen in serie te schakelen, kan men batterijen maken met een spanning van 4,5 V. In figuur 6.12b is de doorsnede van zo'n batterij getekend. In de tekening zijn de elektrische verbindingen tussen de cellen onderling en die met de beide aansluitstrippen weggelaten.
a Teken in figuur W6.1 in het werkboek de ontbrekende elektrische verbindingen.
Een spanning van 4,5 V kun je ook krijgen met behulp van een variabele spanningsbron.

b Geef in het werkboek de schematische weergave van een variabele spanningsbron.

9 **Gebruik het werkboek voor het maken van deze opgave.**
In de figuren 6.13a t/m d zie je telkens een schakeling met drie batterij-cellen van 1,5 V. De dikke streep stelt een geleidende verbinding tussen een of meerdere cellen voor. In tabel 6.1 is voor figuur 6.13a de spanning tussen twee punten weergegeven.
Noteer in tabel 1 in het werkboek de waarden van de spanningen bij de figuren b, c en d.

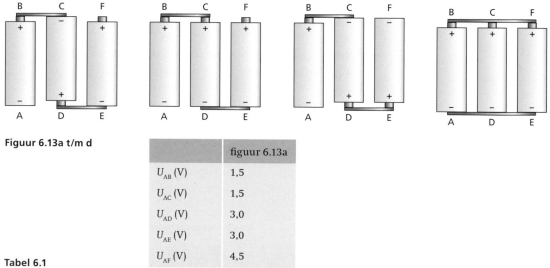

Figuur 6.13a t/m d

	figuur 6.13a
U_{AB} (V)	1,5
U_{AC} (V)	1,5
U_{AD} (V)	3,0
U_{AE} (V)	3,0
U_{AF} (V)	4,5

Tabel 6.1

6.2 Elektrische stroom, meten van stroomsterkte en spanning

In het dagelijks leven maken we veel gebruik van apparaten die werken op elektrische stroom. Het zal niet meevallen om alle elektrische apparaten die bij jou thuis staan, op te noemen. Bij een groot aantal toepassingen sta je normaal gesproken niet eens stil.
De moderne maatschappij is erg afhankelijk van elektrische energie. Dat er vooral apparaten zijn en worden ontwikkeld die op elektrische energie werken, heeft te maken met het volgende:

– Elektrische energie kan gemakkelijk 'overal' worden gebracht waar we dat wensen. Je kunt overal aan een laptop werken. Als de accu leeg is hoef je hem maar op een stopcontact aan te sluiten om de accu weer op te laden. Anders gezegd: elektrische energie is gemakkelijk te transporteren;
– Elektrische energie is gemakkelijk in andere energievormen om te zetten. Denk aan omzetting in licht (lamp), bewegingsenergie (boormachine), warmte (straalkachel), geluid (radio), enzovoort.

Stroomkring en stroomrichting

Sluit je een fietslampje op een batterij aan, dan gaat het lampje branden. Batterij, lampje en de twee verbindingsdraden (elektriciteitsdraden) vormen samen een zogenaamde *stroomkring*. Zie figuur 6.14.

Figuur 6.14

In deze stroomkring gebeurt het volgende. In de batterij treedt een scheikundige reactie op waarbij chemische energie wordt omgezet in elektrische energie.
Die elektrische energie wordt door de elektronen via een van de draden naar het lampje getransporteerd.
In het lampje wordt die elektrische energie omgezet in stralingsenergie (waaronder licht) en in warmte.
Na de elektrische energie te hebben afgestaan, bewegen de elektronen zich via de andere draad naar de batterij.
In de batterij nemen de elektronen opnieuw elektrische energie op, enzovoort.

De batterij kun je beschouwen als een pomp die de elektronen dwingt te gaan rondlopen. De elektronen lopen van de minpool naar de pluspool. Zie figuur 6.15a.

Figuur 6.15a en 6.15b

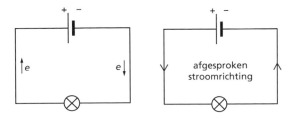

De elektrische stroom loopt echter volgens (de natuurkundige) afspraak van de pluspool naar de minpool. Zie figuur 6.15b.

Om een blijvende elektrische stroom te krijgen, moet aan twee voor-
waarden zijn voldaan:
- Er moet een gesloten kring van geleidend materiaal zijn.
- In die kring moet een spanningsbron zijn opgenomen.
De stroomrichting is van de pluspool naar de minpool. De vrije elek-
tronen lopen van de minpool naar de pluspool.

Schemasymbolen; schakelschema

Elke elektrische schakeling bestaat uit een aantal onderdelen. Bij het
tekenen van zo'n schakeling zou je elk onderdeel kunnen weergeven zoals
het er in werkelijkheid uitziet. Zie figuur 6.16a. Dat is echter moeilijk en
onoverzichtelijk.

Figuur 6.16a en 6.16b

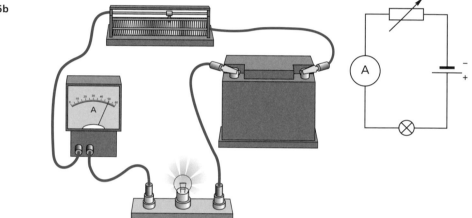

Daarom zijn er zogenaamde elektrotechnische symbolen ingevoerd. Elk
onderdeel van een schakeling kun je dan door een eenvoudig symbool
weergeven.
Een tekening van een elektrische schakeling die je met zulke symbolen
maakt, heet een schakelschema. Zie figuur 6.16b.
Uit zo'n schakelschema kun je aflezen welke onderdelen in de schakeling
zijn opgenomen en hoe die onderdelen met elkaar zijn verbonden.
In tabel 6.2 zie je een aantal elektrotechnische symbolen. Het zijn alleen
die symbolen, die voor dit hoofdstuk van belang zijn. In tabel 16 F in
BINAS vind je nog veel meer elektrotechnische symbolen.

Stroomsterkte bij water

Omdat elektrische stroom onzichtbaar is en je je bij stroomsterkte bij
elektriciteit weinig kunt voorstellen, wordt hier eerst besproken wat
stroomsterkte bij water is.

Als een waterkraan openstaat, dan stroomt er water door de waterleiding-
buizen. Hoe sterk de stroom is, heeft te maken met het aantal liters dat
in één seconde door de kraan stroomt. Men zegt bijvoorbeeld: de stroom-

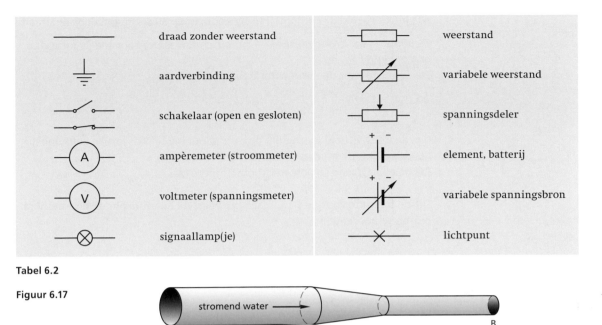

Tabel 6.2

Figuur 6.17

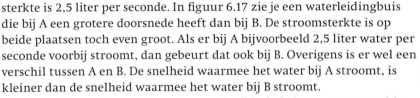

sterkte is 2,5 liter per seconde. In figuur 6.17 zie je een waterleidingbuis die bij A een grotere doorsnede heeft dan bij B. De stroomsterkte is op beide plaatsen toch even groot. Als er bij A bijvoorbeeld 2,5 liter water per seconde voorbij stroomt, dan gebeurt dat ook bij B. Overigens is er wel een verschil tussen A en B. De snelheid waarmee het water bij A stroomt, is kleiner dan de snelheid waarmee het water bij B stroomt.

Als je weet hoeveel water in een bepaalde tijd uit de kraan gestroomd is dan kun je de stroomsterkte berekenen. Als bijvoorbeeld in 48 seconde 120 liter water uit de kraan stroomt, is de stroomsterkte $\frac{120}{48}=2,5$ liter per seconde.

Om uit te rekenen hoeveel water in een bepaalde tijd uit de kraan stroomt, of door de waterleiding stroomt, moet je twee dingen weten. Ten eerste hoe groot de stroomsterkte is en ten tweede hoe lang het water stroomt. Als bijvoorbeeld de stroomsterkte 2,5 liter per seconde bedraagt en de kraan staat gedurende 32 seconde open, dan is de hoeveelheid water $2,5 \times 32 = 80$ liter.

Stroomsterkte bij elektriciteit

Als een schakelaar in een stroomkring gesloten is, dan stroomt er elektrische lading door de stroomdraden. Hoe sterk de stroom is, heeft bij elektriciteit te maken met het aantal coulomb dat in één seconde door de dwarsdoorsnede van een draad stroomt. Men zegt bijvoorbeeld: de stroomsterkte is 2,5 coulomb per seconde.

Voor de eenheid coulomb per seconde gebruikt men meestal de eenheid ampère (symbool A).

Als je weet hoeveel lading in een bepaalde tijd door de stroomdraad gestroomd is, dan kun je de stroomsterkte berekenen.

Als bijvoorbeeld 32 coulomb lading gedurende 80 seconden door de draad stroomt, is de stroomsterkte $\frac{32}{80}=0,40$ coulomb per seconde. Je kunt dan ook zeggen $I = 0,40$ A.

De formule voor de stroomsterkte is dus:

$$I = \frac{Q}{t}$$

- Q is de hoeveelheid lading die de dwarsdoorsnede passeert in coulomb (C).
- t is de tijdsduur waarin dat gebeurt in seconde (s).
- I is de elektrische stroomsterkte in ampère (A).

Uit de formule voor de stroomsterkte volgt de formule om de hoeveelheid lading te berekenen:

$$Q = I \cdot t$$

Als gedurende een tijd van 50 seconden een stroomsterkte van 0,40 ampère door een lampje loopt dan is de hoeveelheid lading $0,40 \times 50 = 20$ coulomb.

Het (stroomsterkte, tijd)-diagram

Als in een stroomkring een constante stroom loopt, dan is de grafiek in het (I,t)-diagram een horizontale rechte lijn. In figuur 6.18a is de stroomsterkte constant 0,40 A.

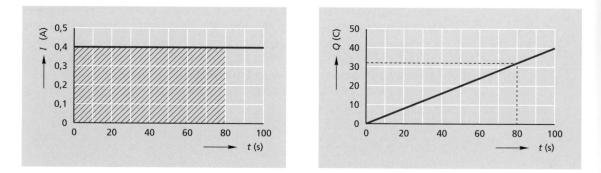

Figuur 6.18a en b

De hoeveelheid lading die elke seconde een doorsnede van de draad passeert, $0,40\,A \cdot 1s = 0,40$ C. In 80 s is dat $0,40 \cdot 80 = 32$ C.

Het oppervlak onder de (I,t)-grafiek komt dus overeen met de hoeveelheid lading die getransporteerd is. Dat gebruiken we in het volgende diagram.

Het (lading, tijd)-diagram

Je kunt van dit proces ook een (Q,t)-diagram maken. Zie figuur 6.18b. Q is de hoeveelheid lading die een doorsnede van de draad gepasseerd is. Dit (Q,t)-diagram is een oplopende rechte lijn. Bij $t = 80$ s geldt $Q = 32$ C.

De steilheid van de (Q,t)-grafiek hangt af van de stroomsterkte. Hoe groter de steilheid, hoe groter de stroomsterkte. De steilheid in figuur 6.18b is

$$\frac{Q}{t} = \frac{32}{80} = 0,40$$

Inderdaad, de stroomsterkte bedraagt 0,40 A. Je ziet dat het volgende geldt:
De steilheid van een (Q,t)-grafiek komt overeen met de stroomsterkte.

Samenvatting

De elektrische stroomsterkte is de hoeveelheid lading die per seconde
een dwarsdoorsnede passeert.
In formulevorm:

$$I = \frac{Q}{t}$$

- Q is de hoeveelheid lading die de dwarsdoorsnede passeert in coulomb (C).
- t is de tijdsduur waarin dat gebeurt in seconde (s).
- I is de elektrische stroomsterkte in coulomb per seconde (C/s);
  de gebruikelijke eenheid van stroomsterkte is ampère (symbool A).

Het oppervlak onder de (I,t)-grafiek komt overeen met de hoeveelheid
lading die is getransporteerd.

Uit de formule voor de stroomsterkte volgt de formule voor de lading:

$$Q = I \cdot t$$

De steilheid van de (Q,t)-grafiek komt overeen met de stroomsterkte.

Meten van stroomsterkte en spanning

Stroomsterkte meet je met een stroommeter. Een andere naam voor
stroommeter is ampèremeter.
Zie figuur 6.19a. Spanning meet je met een spanningsmeter. Een andere
naam voor spanningsmeter is voltmeter. Zie figuur 6.19b.

Figuur 6.19a Een stroommeter met
drie meetbereiken: 5A, 0,5A en 0,05A.

Figuur 6.19b Een spanningsmeter met
drie meetbereiken: 30V, 15V en 3V.

Beide meters hebben één zwarte aansluitbus en meerdere rode aansluitbussen. De zwarte aansluitbus heet de minpool, de rode bussen zijn de
pluspolen. Je gebruikt altijd de zwarte aansluitbus en één van de rode. De
verschillende rode aansluitbussen horen bij verschillende meetbereiken.

Als je niet weet hoever de meter zal uitslaan, moet je (eerst) het grootste meetbereik kiezen.

Beide meters hebben een wijzer die alleen naar rechts kan uitslaan. Om ervoor te zorgen dat de meter niet naar links kan uitslaan, moet je een meter + op + en – op – aansluiten. Dit betekent dat je in een schakeling de pluspool van een meter zo dicht mogelijk bij de pluspool van de spanningsbron aansluit en dat je de minpool van een meter zo dicht mogelijk bij de minpool van de spanningsbron aansluit.

Aansluiten van een stroommeter en een spanningsmeter

De stroommeter en de spanningsmeter moeten op heel verschillende manieren aangesloten worden.

Een lampje is op een spanningsbron aangesloten. Zie figuur 6.20a.

Figuur 6.20 a t/m c

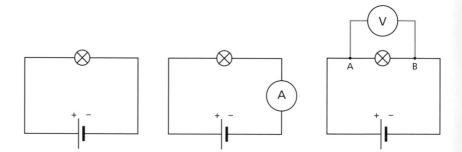

De stroomsterkte door het lampje meet je door een stroommeter in serie met het lampje aan te sluiten. Zie figuur 6.20b. Dan gaat er een even grote stroom door het lampje als door de meter.

Je moet daartoe een van de draden van de schakeling onderbreken om de meter in de schakeling op te kunnen nemen. Het doet er niet toe waar je de meter in de schakeling opneemt. Links en rechts van het lampje is de stroomsterkte hetzelfde.

De spanning over het lampje meet je door de spanningsmeter parallel met het lampje aan te sluiten. Zie figuur 6.20c. Je ziet dat je de stroomkring dan niet hoeft te onderbreken om dat te doen.

Multimeter

In plaats van de besproken stroommeter en spanningsmeter wordt er door monteurs en in bedrijven een multimeter gebruikt. Ook op scholen kom je ze steeds vaker tegen. Met een multimeter kun je meerdere natuurkundige grootheden meten. Bijvoorbeeld spanning, stroomsterkte en weerstand. Zie figuur 6.21. Met een keuzeknop stel je in welke grootheid je wilt meten en in welk bereik je die grootheid wilt meten. De afgebeelde

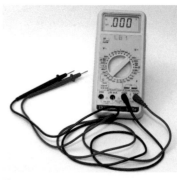

Figuur 6.21

meter is een digitale meter, daarbij heb je geen wijzer maar een display dat onder andere de gemeten waarden weergeeft.

Samenvatting – De stroomsterkte door een apparaat meet je door een stroommeter (ampèremeter) in serie met het apparaat te schakelen. De stroomsterkte door de ampèremeter is dan gelijk aan de stroomsterkte door het apparaat.
– De spanning over een apparaat meet je door een spanningsmeter (voltmeter) parallel aan het apparaat te schakelen. De spanning over de voltmeter is dan gelijk aan de spanning over het apparaat.

Vragen

10 **Gebruik het werkboek voor het maken van deze opgave.**
In onderstaande tekst ontbreken zeven woorden. Noteer in je werkboek op de lege plaatsen een van de volgende woorden: *door, energie, onder, op, over, spanning, stroom.*
Elk woord komt maar één keer voor in de tekst.

De lamp boven je bureau geeft licht.
Dit kan alleen als de lamp aangesloten is ＿＿＿＿＿＿ (1) het stopcontact.
Er staat dan een spanning van 230 V ＿＿＿＿＿＿ (2) de aansluitpunten van de lamp.
De lamp staat ＿＿＿＿＿ (3) ＿＿＿＿＿＿ (4).
Er loopt ＿＿＿＿＿ (5) ＿＿＿＿＿＿ (6) de lamp.
De lamp zet elektrische ＿＿＿＿＿ (7) om in licht en warmte.

11 a Hoe bereken je de (gemiddelde) stroomsterkte als je de hoeveelheid getransporteerde lading en de tijdsduur weet?
 b Hoe bepaal je de stroomsterkte in een (lading, tijd)-diagram?
 Je kunt de stroomsterkte meten met een stroomsterktemeter of stroommeter.
 c Wat is de gebruikelijke naam voor een stroommeter?
 d Teken een schakelschema van een stroomkring met een batterij, een lamp en een stroommeter.

12 Twee identieke stroommeters zijn samen met een lampje op een spanningsbron aangesloten. Zie figuur 6.22.

Figuur 6.22

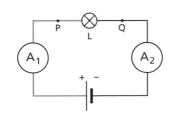

Daarbij zijn twee soorten verbindingsdraden gebruikt: het koper in de groene draden heeft een iets grotere dwarsdoorsnede dan het koper in de zwarte draden.

a Hoe is de richting van de stroomsterkte: van P via L naar Q óf van Q via L naar P?

b Hoe is de richting waarin de vrije elektronen bewegen: van P via L naar Q óf van Q via L naar P?

c Passeren per seconde bij P meer of minder elektronen dan bij Q? Of is er geen verschil?

d Is de stroomsterkte bij P groter of kleiner dan die bij Q? Of is er geen verschil?

e Is de stroomsnelheid bij P groter of kleiner dan die bij Q? Of is er geen verschil?

f Is de wijzeruitslag van A_1 groter of kleiner dan die van A_2? Of is er geen verschil?

Opgaven

13 De vier schakelingen in de figuur 6.23a t/m d lijken heel verschillende schakelingen voor te stellen. Toch is dat niet zo.

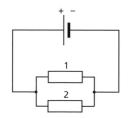
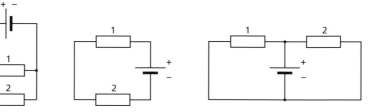

Figuur 6.23a t/m d

a Welke schakelingen zijn hetzelfde?

b Welke schakelingen zijn parallelschakelingen?

14 **Gebruik het werkboek voor het maken van deze opgave.**

In figuur 6.24 zie je een batterij, twee apparaten, een voltmeter en een ampèremeter.

De figuur moet tweemaal aangevuld worden met schakeldraden, beide keren zodanig dat de ampèremeter de stroomsterkte door apparaat 1 meet en de voltmeter de spanning over apparaat 2.

De eerste keer moeten de apparaten 1 en 2 parallel geschakeld zijn.

De tweede keer moeten de apparaten 1 en 2 in serie geschakeld zijn.

a Maak in figuur W6.3a in het werkboek de parallelschakeling af.

b Maak in figuur W6.3b in het werkboek de serieschakeling af.

Op deze manier getekend zijn de schakelingen niet erg overzichtelijk. In de figuur in het werkboek is ruimte om de tekeningen beter weer te geven.

c Maak in in het werkboek voor de parallelschakeling een overzichtelijke tekening.

d Maak in het werkboek voor de serieschakeling een overzichtelijke tekening.

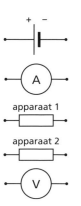

Figuur 6.24

15 **Gebruik het werkboek voor het beantwoorden van vraag a.**
In een diskman wordt de energie geleverd door twee batterijen van 1,5 V.
Zie figuur 6.25. Zowel de motor als de versterker werken op 3,0 V.

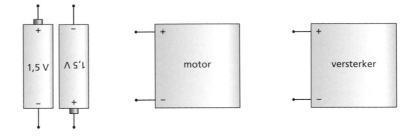

a Teken in figuur W6.4 in het werkboek de verbindingsdraden zodat de
versterker en de motor op de juiste manier op de batterijen zijn
aangesloten.
Tijdens het afspelen gaat door de aansluitdraad een stroomsterkte van
57 mA. Een nummer van de CD duurt 2 minuten en 30 seconde.
b Bereken de hoeveelheid lading die tijdens het afspelen door de aansluitdraad van de batterijen gaat.

16 **Gebruik het werkboek voor het maken van deze opgave.**
Om de spanning over en de stroomsterkte door een lamp te meten kun je
het schakelschema gebruiken dat in figuur 6.26 is weergegeven. In figuur
6.27 staat een foto van de apparatuur. De aansluitpunten voor de verbindingsdraden zijn in de figuur aangegeven met een wit rondje.

Figuur 6.26 en 6.27

Teken in figuur W6.6 in het werkboek de verbindingsdraden zodat de
schakeling van figuur 6.26 ontstaat.

17 Op een accu staat de zogenaamde capaciteit vermeld. De 'capaciteit' van een accu is het product van de stoomsterkte die de accu levert en de tijdsduur waarin de stroom loopt. Dat wil zeggen dat een 'volle' accu met een capaciteit van 44 Ah gedurende 44 uur een stroomsterkte van 1,0 A kan leveren, of gedurende 22 uur een stroomsterkte van 2,0 A, enzovoort. Na het afgeven van deze 44 Ah daalt de stroomsterkte sterk en is de accu 'leeg'.

a Laat zien dat 1 Ah gelijk is aan $3{,}6 \cdot 10^3$ coulomb.

Een 'uitgeputte' accu kun je 'opladen'.

Het duurt acht uur om een accu volledig op te laden. Er is dan 36 C lading naar de accu gestroomd. Frits tekent een diagram waarin hij het oplaadproces wil laten zien. Zie figuur 6.28.

Figuur 6.28

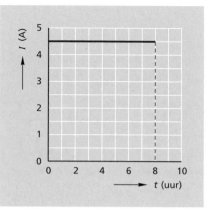

Maarten kijkt naar de figuur en zegt dat de figuur niet overeenkomt met de werkelijkheid.

b Ben je het Maarten eens?

c Is er in die tijd ook lading van de accu naar het laadapparaat getransporteerd? Licht je antwoord toe.

6.3 De weerstand van een geleider

Het gloeilampje in de koplamp van je fiets heeft een grotere lichtopbrengst dan het gloeilampje in je achterlicht. Maar ze zijn op dezelfde spanningsbron aangesloten, namelijk de dynamo. Ze staan dus onder dezelfde spanning. Bij meting blijkt dat de stroomsterkte door de koplamp groter is dan de stoomsterkte door het achterlicht. De spanningsbron kan dus niet zo'n grote stroom door het achterlicht veroorzaken als door de koplamp. We zeggen ook wel: het achterlicht heeft een grotere *weerstand*. Je kunt ook zeggen de koplamp laat de stroom gemakkelijker door. Je zegt ook wel: de koplamp heeft een groter *geleidingsvermogen*.

In deze paragraaf wordt het verband tussen spanning, stroomsterkte en weerstand besproken.

Een proef met een 'draadkokertje'

Figuur 6.29

Het voorwerp dat je op de foto in figuur 6.29 ziet, bestaat uit een kokertje waarop een zeer dunne metaaldraad is gewikkeld. Aan de uiteinden van deze draad zijn de (veel dikkere) aansluitdraden vastgemaakt. Het geheel is in plastic isolatiemateriaal gegoten. Dit voorwerp noemen we voorlopig een 'draadkokertje'.

Zo'n draadkokertje kun je gebruiken om het verband tussen spanning en stroomsterkte te onderzoeken. Het gaat dan om de spanning die je over het draadkokertje aanlegt en de stroom die als gevolg daarvan door het draadkokertje loopt.

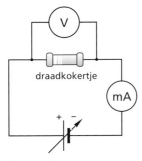

Figuur 6.30

Dit onderzoek gaat het handigst als je het draadkokertje aansluit op een spanningsbron waarvan de spanning is te variëren, bijvoorbeeld een voedingskastje. Verder moet je nog een stroommeter en een spanningsmeter in de schakeling opnemen. Zie figuur 6.30.

De spanning maak je vanaf 0 V geleidelijk aan groter tot ongeveer 10 V. Bij elke ingestelde spanning noteer je de bijbehorende stroomsterkte in een tabel.

U (V)	I (mA)	$\dfrac{U}{I}\left(\dfrac{\text{V}}{\text{A}}\right)$
0,0	0	
1,8	7	$2,6 \cdot 10^2$
3,2	13	$2,5 \cdot 10^2$
4,7	19	$2,5 \cdot 10^2$
5,8	23	$2,5 \cdot 10^2$
7,3	29	$2,5 \cdot 10^2$
8,4	34	$2,5 \cdot 10^2$
9,8	39	$2,5 \cdot 10^2$

Tabel 6.3

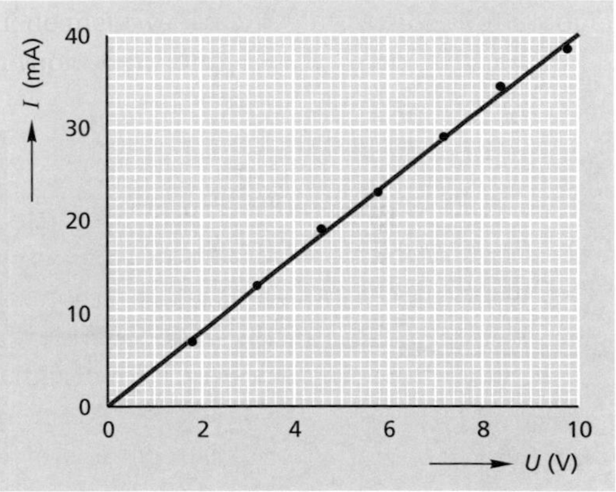

Figuur 6.31

In de eerste twee kolommen van tabel 6.3 zie je de meetresultaten die bij zo'n proef werden verkregen. Figuur 6.31 is een bijbehorend (I,U)-diagram.

Zoals je ziet liggen de meetpunten op een rechte die door de oorsprong gaat. Blijkbaar is de stroomsterkte in het draadkokertje recht evenredig met de spanning over het draadkokertje. In formule:

$$\frac{U}{I} = \text{constant}$$

Definitie van weerstand

De deling $\dfrac{U}{I}$, je kunt ook zeggen de verhouding $\dfrac{U}{I}$, wordt de weerstand genoemd.

Voor weerstand gebruiken we het symbool R. Dat komt van het woord resistance. Dit is het Engelse woord voor weerstand. Daarmee krijg je de formule $\dfrac{U}{I} = R$. Je kunt die formule ook schrijven als $U = I \cdot R$.
Deze laatste formule staat ook in BINAS.

De eenheid voor weerstand wordt ohm genoemd en wordt afgekort met het symbool Ω. Dit is de Griekse hoofdletter omega. Uit de formule voor de weerstand volgt dan $1\,\Omega = \dfrac{1\,V}{1\,A}$.

Weerstand van een draadkokertje

Wanneer je de weerstand van het draadkokertje wilt bepalen, dan moet je het quotiënt $\dfrac{U}{I}$ berekenen.

Het resultaat staat in de laatste kolom van tabel 6.3. Je ziet dat de waarden ongeveer hetzelfde zijn. Dat betekent dat de weerstand R van het draad-kokertje steeds dezelfde waarde heeft en dus blijkbaar niet afhangt van de grootte van de stroomsterkte die er doorloopt. Dit had je ook al aan het (I,U)-diagram kunnen zien. De grafiek in dat diagram is een rechte lijn die door de oorsprong gaat. Dat betekent dat er steeds dezelfde waarde komt uit de deling $\dfrac{U}{I}$.

Wet van Ohm

Als de weerstand van een elektrische geleider constant is, dus niet afhangt van de stroomsterkte, zeg je dat de wet van Ohm geldt voor die geleider.
In de formule $U = I \cdot R$ heeft R dan steeds dezelfde waarde.
Voor een draadkokertje geldt dus de wet van Ohm. Men noemt een geleider waarvoor de wet van Ohm geldt ook wel een ohmse weerstand. We zullen zien dat de wet van Ohm niet geldt voor de gloeidraad van een lamp.

Practicum

Weerstandswaarde van een koolweerstand

Bepaal de grootte van de weerstand van een 'koolweerstand'.
Ga na of een koolweerstand een ohmse weerstand is.
Ga na of de grootte van de weerstand die je gevonden hebt overeenkomt met de kleuren van de ringen die op de koolweerstand staan.

Een proef met een lampje

In plaats van het draadkokertje neem je nu een lampje op in de schakeling en je onderzoekt het verband tussen de spanning U en de stroomsterkte I. Zie figuur 6.32 voor de schakeling.

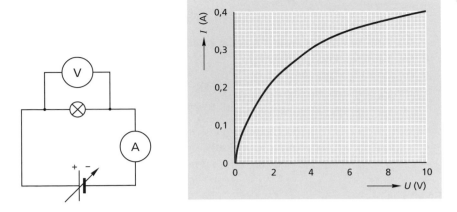

Wanneer je nu een (I,U)-grafiek maakt, zie je dat het geen rechte is door de oorsprong. Zie figuur 6.33. Als je nu de deling maakt van U en I, dan zie je dat daar steeds een ander getal uitkomt. Blijkbaar is de weerstand nu niet constant. Ga na dat de waarde van de weerstand groter is naarmate de spanning over het lampje groter is. Voor een gloeilampje geldt de wet van Ohm dus niet. Een gloeilamp is geen ohmse weerstand.

Practicum

Weerstand van een gloeidraad in een fietslampje
Ga na of de gloeidraad een ohmse weerstand is.
Ga na of de weerstand toeneemt of afneemt als de temperatuur stijgt.
Bepaal de grootte van de weerstand als de stroomsterkte en de spanning nul zijn.

Samenvatting

De verhouding tussen spanning en stroomsterkte in een geleider noem je de weerstand van de geleider. In formule:

$$\frac{U}{I} = R$$

- U is de spanning over de geleider in volt (V).
- I is de stroomsterkte door de geleider in ampère (A).
- R is de weerstand in ohm (Ω).
Hieruit volgt:

$$U = I \cdot R$$

De eenheid van weerstand is ohm, afgekort Ω. $1\Omega = \dfrac{1\,V}{1\,A}$

Als voor een geleider geldt dat de weerstand constant is, dan wordt die geleider een ohmse weerstand genoemd en dan geldt de wet van Ohm. In de formule $U = I \cdot R$ heeft R dan een constante waarde.

Opmerking

Om de weerstand van een apparaat bij een bepaalde spanning te bepalen moet je het quotiënt $\frac{U}{I}$ berekenen. Dit betekent dat je in een (I,U)-diagram de waarde van de U en de waarde van I moet aflezen en op elkaar delen. Bij een ohmse weerstand lijkt het erop dat je ook gebruik kunt maken van de steilheid van de grafiek. De uitkomst $\frac{U}{I}$ en de uitkomst van $\frac{\Delta U}{\Delta I}$ zijn dan hetzelfde. Voor een grafiek van een niet-ohmse weerstand geldt dit echter niet. Je mag dus niet zeggen dat de weerstand te bepalen is uit de steilheid van een (I,U)-diagram.

Figuur 6.34

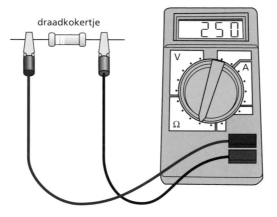

draadkokertje

Het bepalen van een weerstand

De weerstand van een geleider kun je bepalen door de geleider in een schakeling met een spanningsbron op te nemen zoals hierboven twee keer is gebeurd. Je meet dan de spanning over en de stroomsterkte door de geleider en rekent de verhouding uit.

Met bepaalde multimeters kun je de weerstand van een geleider direct bepalen door de geleider simpelweg op de multimeter aan te sluiten. De batterij in de multimeter is dan de spanningsbron en levert dan de stroom door de geleider. De multimeter bepaalt de grootte van de spanning en de grootte van de geleverde stroomsterkte. Het resultaat van de deling van die twee waarden, dat is dus de weerstand, wordt in het display aangegeven. Zie figuur 6.34

Vragen

18 In figuur 6.35 zie je in een (I,U)-diagram de grafiek van lampje 1 en de grafiek van lampje 2 weergegeven.
De lampjes worden om beurten aangesloten op een spanning van 6,0 V.
a   Bepaal de grootte van de stroomsterkte door lampje 1.
b   Bepaal de grootte van de stroomsterkte door lampje 2.
Beide lampjes zijn fietslampjes. Een van de lampjes is geschikt als lampje in het achterlicht; de andere is geschikt als lampje in de koplamp.
c   Welk lampje is geschikt voor het achterlicht? Licht je antwoord toe.

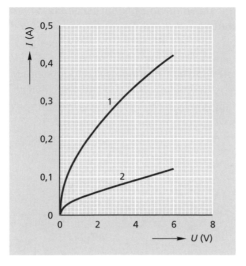

19 Om de weerstand te berekenen kun je gebruik maken van de formule $R = \dfrac{U}{I}$.

a Hoe staat de formule in BINAS?

Voor de formule $\dfrac{U}{I}$ zou je twee namen kunnen bedenken: namelijk de naam weerstand en de naam geleidingsvermogen.

b Leg uit dat je moet kiezen voor de naam weerstand.

c Welke formule zou er dan bij geleidingsvermogen kunnen horen?

20 In figuur 6.36 zie je in een (I,U)-diagram de grafieken van de lamp en een ohmse weerstand.

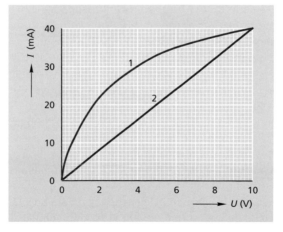

a Leg uit welke grafiek hoort bij de ohmse weerstand.

b Bepaal de weerstand van de lamp bij een spanning van 4,0 V.

Vanaf 6 V lijkt de grafiek van de lamp een rechte lijn.

c Mag je de lamp dan vanaf die spanning beschouwen als een ohmse weerstand? Licht je antwoord toe.

21 Van twee geleiders (A en B) zijn in figuur 6.37 (*I*,*U*)-grafieken getekend.
Bij toenemende spanning nemen de stroomsterktes toe.

Figuur 6.37

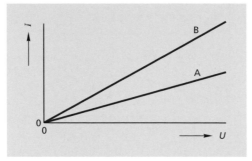

a Houdt het toenemen van de stroomsterkte in, dat het aantal vrije
elektronen groter wordt? Licht je antwoord toe.
b Welke van de twee geleiders heeft de grootste weerstand?

22 In figuur 6.38 zie je een foto van een opstelling tijdens een practicum.

Figuur 6.38

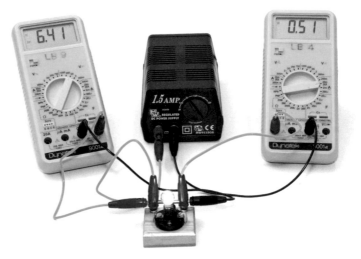

De ene multimeter meet de spanning uitgedrukt in volt; de andere meet
de stroomsterkte in ampère. Aan de hand van de schakeling kun je bepalen welke multimeter de spanning meet en welke de stroomsterkte.
Bepaal de weerstand van het lampje in deze situatie.

23 Wanneer je een spanning over een geleider zet, gaat er een stroom lopen.
De grootte van deze stroom is afhankelijk van de grootte van de weerstand van de geleider. De drie grootheden *U*, *I* en *R* hangen van elkaar af.
Als twee grootheden bekend zijn, kan de derde berekend worden. Doe dat
voor de volgende vijf gevallen.

Bij de gegevens is geen gebruik gemaakt van machten van tien, maar van voorvoegsels. Maak bij je antwoorden ook zoveel mogelijk gebruik van voorvoegsels.

a 230 V   4,0 A
b 30 V   7,5 kΩ
c 3,2 mA   250 Ω
d 0,15 V   6,0 µA
e 10,0 V   5,0 MΩ

24 **Gebruik het werkboek voor het maken van deze opgave.**

Op een koolweerstand zijn ringen in een bepaalde kleur aangebracht. De waarde van de weerstand van de koolweerstand wordt hiermee gecodeerd. In figuur 6.39 zie je een voorbeeld van een koolweerstand met de kleuren rood, rood, bruin en goud. In tabel 16 E van Binas staat de betekenis van de kleuren: de kleurcodes. De eerste twee ringen aan de linkerkant vormen een getal. In het voorbeeld het getal 22. De derde ring geeft de macht van 10 aan. In dit geval 1. Samen geven de drie ringen dus $22 \cdot 10^1 = 220$ aan. De ring aan de rechterkant geeft de tolerantie aan. In dit geval 5 %. Dat betekent dat de weerstand hooguit een afwijking van 5 % van 220 mag hebben. Dat wil dus zeggen 11 Ω. De weerstand is dus 220 ± 11 Ω. Dit moet dan weergegeven worden in twee significante cijfers. In de standaardvorm geschreven is dat $(2,2 \pm 0,1) \cdot 10^2$ Ω. In tabel 6.4 zijn de getallen bij weerstand 1 weergegeven.

Figuur 6.39

weerstand 1			
rood	rood	bruin	goud
2	2	10^1	5%
220 ± 11 Ω			
$(2,2 \pm 0,1) \cdot 10^2$ Ω			

Tabel 6.4

a Noteer in tabel 2 in het werkboek de getallen die horen bij weerstand 2.
b Noteer in tabel 2 in het werkboek de getallen die horen bij weerstand 3.

Als op een weerstand vijf ringen staan, dan geven de eerste drie ringen het getal, de vierde ring de macht van tien en de vijfde ring de tolerantie aan.

c Noteer in tabel 2 in het werkboek de getallen die horen bij weerstand 4.

U (V)	I (mA)
1,1	24
1,9	39
2,7	56
3,2	69
3,8	82
4,6	97

Tabel 6.5

25 **Gebruik het werkboek voor het beantwoorden van de vragen a,d en e van deze opgave.**

Ruud sluit een ohmse weerstand op een voedingskastje aan. Vervolgens meet hij de stroomsterkte door deze weerstand als functie van de spanning over de weerstand. Zijn meetresultaten staan in tabel 6.5.

a Geef in figuur W6.7 in het werkboek de meetresultaten van Ruud weer.
b Waarom zal de grafiek door de oorsprong gaan?
c Waarom zal de grafiek een rechte lijn zijn?
d Teken in het werkboek de (I,U)-grafiek.
e Bepaal de weerstandswaarde van de door Ruud gebruikte weerstand.

26 Fieke sluit een lampje van 6 V op een voedingskastje aan. Vervolgens meet zij de stroomsterkte in het lampje als functie van de spanning over het lampje. Haar meetresultaten staan in de tabel 6.6.

U (V)	I (mA)	U (V)	I (mA)
0,30	10,3	2,50	23,4
0,50	13,2	3,00	25,0
1,00	16,7	4,00	28,2
1,50	18,9	5,00	31,3
2,00	21,3	6,00	33,6

Leg aan de hand van deze meetresultaten uit dat dit lampje zich niet gedraagt als een ohmse weerstand.

6.4 Elektrische energie en elektrisch vermogen

Elektrische apparaten die je inschakelt, nemen elektrische energie op. Sommige apparaten zijn daardoor in staat arbeid te verrichten. Een deel van de elektrische energie wordt dan nuttig gebruikt en de rest wordt omgezet in warmte. Denk bijvoorbeeld aan een mixer, een boormachine of een cirkelzaag.
Er zijn ook elektrische apparaten die geen arbeid verrichten. Bij deze apparaten wordt elektrische energie omgezet in bijvoorbeeld licht, geluid en/of warmte. Denk bijvoorbeeld aan een lamp, een radio, een televisietoestel, een strijkijzer of een waterkoker.
Waarvan hangt de hoeveelheid opgenomen energie af? En hoe zit dat met het rendement?

Elektrisch vermogen en energieverbruik

Figuur 6.40

Op een lamp staat 60 W; 230 V. Zie figuur 6.40. Als je zo'n lamp aansluit op 230 V en laat branden, dan wordt er elke seconde 60 J aan elektrische energie omgezet in stralingsenergie en warmte.
Op veel apparaten is het vermogen vermeld, samen met de spanning waarop het apparaat moet worden aangesloten.
In het hoofdstuk 'Arbeid en energie' heb je al het een en ander over het begrip vermogen geleerd.
Je bent daar onder andere de volgende formule tegengekomen: $P = \dfrac{\Delta E}{t}$

Voor het vermogen van een elektrisch apparaat geldt precies dezelfde formule. Je kunt deze formule ook anders schrijven:

$$\Delta E = P \cdot t$$

- P is het vermogen in watt (W).
- ΔE is de hoeveelheid elektrische energie die wordt verbruikt in joule (J).
- t is de tijd waarin dat gebeurt, in seconde (s).

Opmerking
De $\Delta E = P \cdot t$ wordt meestal geschreven $E = P \cdot t$
Zie ook Binas tabel 35 D1.

Voorbeeld
De lamp van 60 W is aangesloten op 230 V. Hij brandt gedurende 2,5 uur.
Bereken hoeveel elektrische energie is verbruikt.

Uitwerking
$E = P \cdot t$
$P = 60$ W; $t = 2,5$ uur $= 2,5 \times 60 \times 60 = 9,0 \cdot 10^3$ s
$E = P \cdot t = 60 \times 9,0 \ 10^3 = 5,4 \ 10^5$ J

Grootte van het energieverbruik

Het energieverbruik hangt af van het vermogen van het apparaat en de
tijdsduur dat het apparaat is ingeschakeld. Maar waar hangt het vermogen
van af? Dit blijkt uit de volgende proeven.
Je sluit een fietslampje (6V; 0,2A) aan op een variabele spanningsbron.
Zie figuur 6.41a.

Figuur 6.41a, 6.41b en 6.41c

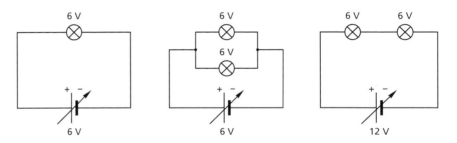

Als er een spanning van 6 V over het lampje staat, dan loopt er een stroom
van 0,2 A door het lampje. Het lampje brandt dan normaal.

Je sluit vervolgens eenzelfde lampje parallel aan het eerste aan. Zie figuur
6.41b. Ook dit lampje brandt dan normaal. Over het lampje staat dus een
spanning van 6 V en er loopt een stroom van 0,2 A door het lampje. De
stroomsterkte bij de variabele spanningsbron is echter tweemaal zo groot
geworden.
Samen geven beide lampjes tweemaal zoveel licht als één lampje, samen
verbruiken ze dus ook tweemaal zoveel elektrische energie.
Conclusie: het vermogen is recht evenredig met de stroomsterkte.

Vervolgens sluit je beide lampjes in serie aan. Zie figuur 6.41c. De lampjes
branden dan minder fel dan normaal. Als je de spanningsbron echter op
een spanning van 12 V zet, dan branden beide lampjes weer normaal. De
stroomsterkte is dan 0,2 A. Opnieuw geven beide lampjes samen tweemaal
zoveel licht als één lampje; ze verbruiken samen dus ook tweemaal zoveel
elektrische energie.
Conclusie: het vermogen is recht evenredig met de spanning.

Voor het elektrisch vermogen van een apparaat geldt dus:

$$P = U \cdot I$$

- P is het vermogen in watt (W).
- U is de spanning in volt (V).
- I is de stroomsterkte in ampère (A).

Het elektrisch vermogen is het product van spanning en stroomsterkte. Als je dan kijkt naar de eenheden kun je zeggen dat 1 watt = 1 volt·ampère.

Voorbeeld
In een diskman wordt de energie geleverd door twee in serie geschakelde batterijen van 1,5 V. Tijdens het afspelen gaat door de aansluitdraad een stroomsterkte van 57 mA. Een nummer van de CD duurt twee minuten en dertig seconden.
Bereken hoeveel energie de batterijen moeten leveren tijdens het afspelen van dit nummer.
Overzicht
De hoeveelheid energie bereken je met behulp van de tijd en het vermogen. Het vermogen bereken je met behulp van de stroomsterkte en de spanning.
De spanning bereken je uit het aantal batterijen en spanning per batterij. De stroomsterkte en de tijd moeten eerst naar standaard eenheden omgerekend worden.
Werkpad
Bepaal de totale spanning die de batterijen leveren
$$U_{totaal} = 2 \times 1,5 = 3,0 \text{ V}$$
Reken de stroomsterkte om naar ampère
$$57 \text{ mA} = 57 \cdot 10^{-3} \text{ A}$$
Bereken het vermogen
$$P = U_{totaal} \cdot I = 3,0 \times 57 \cdot 10^{-3} = 1,71 \cdot 10^{-1} \text{ W}$$
Reken de afspeeltijd om naar seconden
$$t = 2 \times 60 + 30 = 150 \text{ s}$$
Bereken de hoeveelheid energie
$$E = P_{totaal} \cdot t = 1,71 \cdot 10^{-1} \times 150 = 26 \text{ J}$$

Opmerking
Uit dit voorbeeld blijkt dat je de hoeveelheid energie ook kunt berekenen met behulp van de formule:

$$E = U \cdot I \cdot t$$

Practicum

Het vermogen van een verwarmingselement
Met behulp van het verwarmingselement kun je water verwarmen.
In dit practicum doe je het water in een speciaal apparaat: een joulemeter. Onderzoek hoe het vermogen van een verwarmingselement afhangt van de stroomsterkte en de spanning.

Meten van het elektrische energieverbruik

Elektriciteitsbedrijven gebruiken niet de joule, maar de kilowattuur (kWh) als energiemaat.

Voorbeeld
Een wasmachine met een vermogen van 2,4 kW is 30 minuten lang in bedrijf.
De wasmachine verbruikt dan 2,4 kW × 0,50 h = 1,2 kWh aan elektrische energie.

Let op: Het is dus kilowatt maal uur en niet kilowatt per uur! Immers, energie is gelijk aan vermogen maal tijd ($E = P \cdot t$).

Het verband tussen de energie-eenheden kilowattuur en joule vind je als volgt

$$1 \text{ kWh} = 1 \text{ kW} \times 1 \text{ h} = 1000 \text{ W} \times 3600 \text{ s} = 3,6 \cdot 10^6 \text{ J}$$

Zie ook BINAS tabel 5.

Conclusie: 1 kWh = $3,6 \cdot 10^6$ J = 3,6 MJ

De hoeveelheid elektrische energie die uit het elektriciteitsnet wordt opgenomen, wordt met een kilowattuurmeter (een kWh-meter) gemeten. In de meterkast bij je thuis hangt zo'n meter. Zie figuur 6.42.

Zodra er elektrische energie wordt opgenomen, wordt een schijf aan het draaien gebracht. De schijf draait sneller naarmate de hoeveelheid opgenomen energie per seconde groter is. Door middel van een telwerk wordt de hoeveelheid opgenomen elektrische energie bijgehouden.

Figuur 6.42

Voorbeeld
De meest gebruikte lamp is een lamp van 60 W.
a Bereken hoeveel kWh een lamp van 60 W in een jaar gebruikt als hij dag en nacht zou branden.
In Nederland verbruikt een gemiddeld gezin per jaar zo'n $4,0 \cdot 10^3$ kWh aan elektrische energie.
b Bereken hoeveel lampen van 60 W je gedurende een jaar dag en nacht kunt laten branden op deze hoeveelheid energie.

a *Overzicht*
Het aantal kWh kun je berekenen uit het vermogen en de tijd. Het vermogen moet dan in kW uitgedrukt worden en de tijd in uren.

Werkpad
Bereken het aantal uur in een jaar

$$t = 365 \times 24 = 8760 \text{ h}$$

Reken het vermogen van een lamp om in kW

$$P = 60 \text{ W} = 60 \cdot 10^{-3} \text{ kW}$$

Bereken het aantal kWh van de lamp in een jaar

$$E_{\text{lamp, jaar}} = P \cdot t = 60 \cdot 10^{-3} \times 8760 = 526{,}6 \text{ kWh} = 5{,}3 \cdot 10^2 \text{ kWh}$$

b   *Overzicht*
Het aantal lampen is te berekenen door de totale hoeveelheid energie die in één jaar wordt verbruikt, te delen door de energie die in één lamp in één jaar wordt omgezet.
Werkpad
Bereken het aantal lampen $n = \dfrac{E_{\text{tot, jaar}}}{E_{\text{lamp, jaar}}} = \dfrac{4{,}0 \cdot 10^3}{525{,}6} = 7{,}61 = 7$ lampen

Warmteontwikkeling, rendement

In elk ingeschakeld elektrisch apparaat treedt warmteontwikkeling op. Er zijn apparaten waarvan het gebruik juist op die warmteontwikkeling berust. Voorbeelden hiervan zijn een straalkachel, een broodrooster, een strijkijzer, een dompelaar, een kookplaat en een soldeerbout.
Zulke apparaten bevatten een verwarmingselement. Dit is een metaaldraad met een grotere weerstand dan de weerstand van het aansluitsnoer. Als een verwarmingselement is aangesloten, stijgt de temperatuur in de draad sterk en gaat de draad warmte aan de omgeving afstaan. Bijna alle opgenomen elektrische energie wordt dan omgezet in warmte. Sluit je zo'n apparaat aan op een bepaalde spanning dan bepaalt de weerstand van het apparaat hoe groot de stroomsterkte door het apparaat is en daarmee het vermogen van het apparaat.

Want er geldt $U = I \cdot R$ en dus ook $I = \dfrac{U}{R}$

De uitdrukking $P = U \cdot I$ voor het opgenomen elektrische vermogen kun je daarmee ook schrijven als:

$$P = \left(I \cdot R \right) \cdot I = I^2 \cdot R \quad \text{of} \quad P = U \cdot \frac{U}{R} = \frac{U^2}{R}$$

Voor de hoeveelheid warmte, Q, die in een weerstand wordt ontwikkeld, geldt dus bijvoorbeeld:

$$Q = P \cdot t = I^2 \cdot R \cdot t$$

Let op: In deze formule stelt Q niet de lading voor, maar de hoeveelheid ontwikkelde warmte.

Bij veel apparaten wordt niet alle ingaande energie omgezet in de gewenste energiesoort. De gewenste energiesoort noemen we E_{nuttig}. Het rendement van een energie-omzetting is de verhouding tussen de nuttige energie en de ingaande energie. Meestal wordt het rendement in procenten aangegeven. Voor het rendement geldt dus:

$$\eta = \frac{E_{\text{nuttig}}}{E_{\text{in}}} \times 100\%$$

Soms is het handiger om in plaats van E gebruik te maken van $P \cdot t$
Als je E door $P \cdot t$ vervangt, ontstaat de formule

$$\eta = \frac{P_{\text{nuttig}} \cdot t}{P_{\text{in}} \cdot t} \times 100\%$$

Na wegstrepen van t krijg je dan de formule

$$\eta = \frac{P_{\text{nuttig}}}{P_{\text{in}}} \times 100\%$$

Bij een proces waarbij elektrische energie wordt omgezet, is E_{in} dus de elektrische energie. Uit die elektrische energie kunnen allerlei andere vormen van energie ontstaan. Vaak is de energievorm warmte (symbool Q) een ongewenste, niet nuttige energie. Dan geldt:

$$E_{\text{nuttig}} = E_{\text{in}} - Q$$

Voorbeeld
Een voorlamp van een auto heeft een vermogen van 35 W. De lamp brandt gedurende 2,0 uur.

a   Bereken de hoeveelheid elektrische energie die dan in de lamp is omgezet, uitgedrukt in joule.
In de lamp wordt 6,5 % van de elektrische energie omgezet in licht.

b   Bereken de hoeveelheid warmte die de lamp in 2,0 uur produceert.

a   *Overzicht*
De hoeveelheid elektrische energie uitgedrukt in joule kan berekend worden met het vermogen in watt en de tijd in seconden.
Werkpad
Reken de tijdsduur om in seconden

$$t = 2,0 \times 3600 = 7200 \text{ s}$$

Bereken de hoeveelheid elektrische energie

$$E_{\text{elek}} = P \cdot t = 35 \times 7200 = 2,5 \cdot 10^5 \text{ J}$$

b   *Overzicht*
De hoeveelheid warmte, die in 2,0 uur ontstaat is de ingaande energie E_{in}, verminderd met de nuttige, in licht omgezette energie, E_{nuttig}. De nuttige energie volgt uit de ingaande energie en het rendement. De ingaande energie is gelijk aan de elektrische energie die bij a is berekend.
Werkpad
Bereken de nuttige energie

$$E_{\text{nuttig}} = 0,065 \times 2,52 \cdot 10^5 = 1,64 \cdot 10^4 \text{ J}$$

Bereken de hoeveelheid warmte

$$Q = E_{\text{in}} - E_{\text{nuttig}} = 2,4 \cdot 10^5 \text{ J}$$

Samenvatting

- Voor elektrisch vermogen geldt:

$$P = U \cdot I$$

Voor de bijbehorende eenheden geldt:

1 W=1 V·A of voluit geschreven: 1 watt = 1 volt·ampère

- Voor elektrische energie geldt:

$$E = P \cdot t \text{ dus } E = U \cdot I \cdot t$$

Voor de bijbehorende eenheden geldt:

1 J=1 W·s of voluit geschreven: 1 joule = 1 watt·seconde

- Voor de hoeveelheid warmte Q die in een weerstand wordt ontwikkeld, geldt:

$$E = P \cdot t = I^2 \cdot R \cdot t = \frac{U^2}{R} \cdot t$$

- Voor het rendement van een elektrisch apparaat geldt:

$$\eta = \frac{E_{\text{nuttig}}}{E_{\text{in}}} \times 100\% \text{ en } \eta = \frac{P_{\text{nuttig}}}{P_{\text{in}}} \times 100\%$$

- 1 kWh = 3,6 · 10^6 J = 3,6 MJ

Vragen

27 In het hoofdstuk 'Arbeid en energie' zijn drie formules besproken voor vermogen:

$$P = \frac{W}{t} \qquad P = \frac{\Delta E}{t} \qquad P = F \cdot v$$

a Welke andere formule kun je gebruiken voor het berekenen van het elektrisch vermogen?
b Welke van de bovenstaande formules kun je ook gebruiken voor het berekenen van het elektrisch vermogen?

28 Energie wordt meestal uitgedrukt in joule. Elektriciteitsbedrijven gebruiken de eenheid kWh.
a Betekent dit kilowatt per uur of kilowatt maal uur ? Licht je antwoord toe.
b Hoeveel joule is 4,0 kWh?

29 Vaak is warmteontwikkeling in een apparaat een ongewenst bijverschijnsel. Maar bij sommige apparatuur moet juist wel warmte ontwikkeld worden. Die apparatuur bevat een verwarmingselement.
Is de weerstand van zo'n element veel groter of juist veel kleiner dan de weerstand van de toevoerdraden?

30 Een voorlamp van een auto heeft een vermogen van 35 W. In deze lamp wordt 6,5 % van de elektrische energie omgezet in licht.
Bereken de hoeveelheid warmte die de lamp in 2,0 uur produceert.

Opgaven

31 Een gloeilamp van 60 W is aangesloten op 230 V.
    a Bereken de stroomsterkte in de lamp.
    De gloeilamp brandt gedurende 1000 uur voordat hij kapot gaat.
    b Bereken hoeveel elektrische energie dan in deze lamp is omgezet in warmte en licht uitgedrukt in kWh.
    Bij de gloeilamp wordt slechts 5% van de elektrische energie omgezet in licht.
    c Bereken hoeveel elektrische energie dan in deze lamp is omgezet in warmte uitgedrukt in joule.

32 In figuur 6.43 zie je een aantal huishoudelijke elektrische apparaten afgebeeld. Van elk apparaat is het vermogen vermeld.
    Vergelijk het vermogen met de toepassing van het apparaat. Welke conclusie kun je dan trekken?

150 W

65 W

200 W   3000 W   2200 W

Figuur 6.43

33 Als tijdens een onweer de spanning tussen een onweerswolk en de aarde erg hoog is kan bliksem ontstaan. Over onweer en bliksem zijn de volgende gegevens bekend.
    – De spanning kan oplopen tot 100 MV (MV = megavolt).
    – De stroomsterkte in de bliksemstraal kan oplopen tot 60 kA.
    – De bliksemstraal duurt over het algemeen niet meer dan 1 seconde.
    – De gemiddelde bliksemflits heeft een energie van honderd kWh.
    – Elk jaar worden in Nederland ongeveer 250.000 bliksemontladingen gemeten.
    a Bereken met behulp van de eerste twee gegevens het maximale vermogen van een bliksem.
    b Bereken met behulp van het derde en vierde gegeven het gemiddeld vermogen van een bliksem.
    Een gemiddeld gezin gebruikt $4,0 \cdot 10^3$ kWh aan elektrische energie.
    Stel dat je alle energie die gemiddeld in een bliksem aanwezig is, nuttig zou kunnen gebruiken.
    c Bereken hoeveel gezinnen van elektrische energie kunnen worden voorzien met deze energie.
    d Bedenk twee redenen waarom de energie uit bliksems niet nuttig gebruikt wordt.

34 Arja doet in een waterkoker 1,5 liter water met een temperatuur van 18 °C. Na vier minuten en veertig seconde kookt het water. De waterkoker heeft een vermogen van 2,0 kW.
Om 1,5 liter water 1 °C in temperatuur te laten stijgen is $6,3 \cdot 10^3$ J aan energie nodig.
Bereken het rendement van deze waterkoker.

35 Op een batterij staat behalve de spanning die hij levert, vaak ook de zogenaamde 'capaciteit' vermeld. Zie figuur 6.44
Met de 'capaciteit' van een batterij wordt bedoeld het product van de stroomsterkte die van de batterij gevraagd wordt en de tijdsduur waarin hij deze stroom kan leveren.

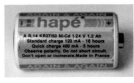

Figuur 6.44

De batterij van figuur 6.44 zat in een elektrische klok. Na 250 dagen was de batterij leeg.
a Laat met een berekening zien dat de stroomsterkte tijdens het gebruik gelijk was aan $2,0 \cdot 10^{-4}$ A.
b Bereken hoeveel energie de batterij in 250 dagen heeft geleverd.
De prijs van één kWh van een elektriciteitsbedrijf kost 12 eurocent.
Eén kWh uit een batterij kost veel meer. De batterij kost € 1,50.
c Bereken hoeveel euro het kost om dit soort batterijen één kWh energie te laten leveren.
Een reden om het gebruik van batterijen te beperken is dus de kostprijs van één kWh.
d Noem een andere reden om het gebruik van batterijen te beperken.
e Noem een reden waarom het gebruik van batterijen toch zo is toegenomen.

36 Een hijskraan trekt met een constante snelheid van 0,19 m/s een last van 365 kg omhoog.
a Bereken de grootte van de hijskracht.
Met het antwoord van vraag a en de snelheid kun je berekenen hoe groot het nuttig vermogen is dat de hijskraan levert.
b Bereken het nuttige vermogen dat de hijskraan levert.
De aandrijving gebeurt door een elektromotor, die op de netspanning (230 V) is aangesloten. Het rendement van de elektromotor is 78%.
c Bereken de stroomsterkte in de elektromotor.

37 Een spaarlamp van 11 W is aangesloten op lichtnet.
a Bereken weerstand van de spaarlamp.
Een fabrikant van spaarlampen beweert dat een door hem geleverde spaarlamp van 11 W even veel lichtenergie per seconde produceert als een gloeilamp van 60 W. Bij een gloeilamp wordt 5,0% van de elektrische energie omgezet in licht.
b Bereken hoeveel lichtenergie door een gloeilamp per seconde wordt geproduceerd.
c Bereken welk percentage van de elektrische energie bij zo'n spaarlamp wordt omgezet in licht, als de bewering van de fabrikant klopt.

38 In Nederland verbruikt een gemiddeld gezin per jaar zo'n $4 \cdot 10^3$ kWh. Een TV met een LCD-scherm heeft een vermogen van ongeveer 400 W. In een krantenartikel stond dat zo'n TV zorgt voor ongeveer 25% van het jaarverbruik van elektrische energie. Maak dit aannemelijk door te berekenen hoeveel uur de televisie dan per dag aan zou moeten staan.

39 Wahid beschikt over een verwarmingselement met een ohmse weerstand. Hij sluit deze aan op een variabele spanningsbron. Hij stelt eerst de spanning in op 4,0 V. Daarna verhoogt hij de spanning tot 12,0 V.
   a Leg uit dat het vermogen dat de verwarmingselement opneemt bij een spanning van 12,0 V negen keer zo groot is als het vermogen bij een spanning van 4,0 V.
   Wahid herhaalt de proef met een lamp. Een lamp is geen ohmse weerstand.
   b Zal het vermogen van de lamp dat de lamp opneemt bij 12 V ook negen keer zo groot zijn, of minder dan negen keer of meer dan negen keer? Verklaar je antwoord.

6.5 Weerstanden parallel en weerstanden in serie

Wanneer je één ohmse weerstand aansluit op een spanningsbron dan komt de hele spanning van de bron over die ene weerstand te staan. De grootte van de stroom die er gaat lopen hangt af van die spanning en de grootte van de weerstand. De wet van Ohm geeft het verband tussen die drie grootheden: $U = I \cdot R$.
Wanneer je niet één maar twee of meer weerstanden op de spanningsbron aansluit dan verandert de spanning van de bron niet, maar de stroomsterkte wel. De stroom die gaat lopen hangt nu af van de manier waarop de weerstanden geschakeld worden.
Om overzichtelijk te kunnen werken is het handig om gebruik te maken van indexen. Je nummert dan de weerstanden. De weerstanden zelf kun je weergeven met R_1, R_2, R_3 enz. De waarde van de weerstanden wordt cursief weergegeven met R_1, R_2, R_3 enz. De stroomsterkte door de weerstanden geef je dan aan met I_1, I_2, I_3 enz. De spanning over de weerstanden geef je dan aan met U_1, U_2, U_3 enz. Voor elke weerstand geldt de wet van Ohm. Dat wil zeggen: $U_1 = I_1 \cdot R_1$, $U_2 = I_2 \cdot R_2$, $U_3 = I_3 \cdot R_3$ enz.

We beginnen met schakelingen waarin twee weerstanden zijn opgenomen. Er zijn twee manieren waarop je twee weerstanden kunt schakelen. Je kunt ze parallel schakelen en je kunt ze in serie schakelen.

Twee parallel geschakelde weerstanden
Aan de hand van een voorbeeld wordt hier uitgelegd welke formules er gelden bij een parallelschakeling. Twee weerstanden met $R_1 = 30$ Ω en $R_2 = 20$ Ω, zijn op een batterij van 6,0 V aangesloten. Zie figuur 6.45.

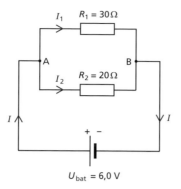

$U_{bat} = 6,0$ V

Wanneer je een spanningsmeter aan zou sluiten over de punten A en B, dan zou die 6,0 V aanwijzen. Elk van de weerstanden is ook met die punten A en B verbonden. Over elke weerstand staat dan ook 6,0 V. Eerste kenmerk van een parallelschakeling:
$U = U_1 = U_2$ waarin U gelijk is aan U_{AB}. In deze schakeling is U_{AB} gelijk aan de spanning van de batterij.

Met de wet van Ohm kun je nu de stroomsterkte in de twee takken van de stroomkring uitrekenen.
Voor de takstroom I_1 geldt:

$$I_1 = \frac{U_1}{R_1} = \frac{6,0}{30} = 0,20 \text{ A}$$

Voor de takstroom I_2 geldt:

$$I_2 = \frac{U_2}{R_2} = \frac{6,0}{20} = 0,30 \text{ A}$$

Zou je nu een stroommeter in de hoofdleiding plaatsen, dan zou die 0,50 A aanwijzen.
Tweede kenmerk van een parallelschakeling:
$I = I_1 + I_2$ waarin I gelijk is aan de stroomsterkte van de stroom die door draad naar de twee weerstanden toeloopt. I is in deze schakeling ook gelijk aan de stroomsterkte van de hoofdstroom, dat is de stroom die de batterij levert.

Je ziet nog een andere eigenschap. De meeste stroom loopt door de weerstand met de kleinste weerstandswaarde. Er geldt:

$$\frac{I_1}{I_2} = \frac{R_2}{R_1}$$

Ga dit na.

Vervangingsweerstand bij parallelschakeling
Door de hoofdleiding naar de twee weerstanden loopt de hoofdstroom I. Zie figuur 6.46a. Je kunt ook een schakeling maken met slechts één weerstand waardoor een precies even grote stroom loopt als door de hoofdleiding.

Die ene weerstand noem je de vervangingsweerstand. De waarde van de vervangingsweerstand noem je dan R_v of R_{12}. Zie figuur 6.46b.

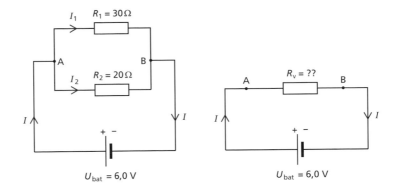

Omdat in figuur 6.46b de stroomsterkte 0,50 A is bij een batterijspanning van 6,0 V, heeft R_v een waarde van

$$\frac{6,0}{0,5} = 12 \ \Omega$$

Het verband tussen R_v, R_1 en R_2 is

$$\frac{1}{R_v} = \frac{1}{R_1} + \frac{1}{R_2}$$

Controleer maar: $\dfrac{1}{R_v} = \dfrac{1}{20} + \dfrac{1}{30}$ dus $\dfrac{1}{R_v} = 0{,}083$

Hieruit volgt dat $R_v = \dfrac{1}{0,083} = 12 \ \Omega$

Twee parallel geschakelde weerstanden van 20 Ω en 30 Ω kun je dus vervangen door een weerstand van 12 Ω. De vervangingsweerstand van twee parallel geschakelde weerstanden heeft dus altijd een kleinere waarde dan de kleinste waarde van de twee weerstanden afzonderlijk.

Opmerking

1 In plaats van twee weerstanden kun je ook meerdere weerstanden parallel schakelen. Bedenk zelf hoe de formules voor de spanning, de stroomsterke en de vervangingsweerstand er dan uit komen te zien. In de samenvatting zie je de formules staan.

2 Als je een takstroom vergelijkt met de hoofdstroom, dan zie je dat hierbij geldt:

$$\frac{I_1}{I_{bat}} = \frac{R_v}{R_1} \ \text{en} \ \frac{I_2}{I_{bat}} = \frac{R_v}{R_2}$$

Twee in serie geschakelde weerstanden

Op een vergelijkbare manier leiden we af welke formules er gelden bij een serieschakeling.

Twee in serie geschakelde weerstanden met $R_1 = 30$ Ω en $R_2 = 20$ Ω, zijn op een batterij van 6,0 V aangesloten. Zie figuur 6.47.

Wanneer je een stroommeter aansluit dan geeft de stroommeter op elke plaats de waarde 0,12 A. Eerste kenmerk van een serieschakeling:
$I = I_1 = I_2$ waarin I gelijk is aan de stroomsterkte in de draad die naar de serieschakeling toeloopt. In figuur 6.47 is I gelijk aan de stroomsterkte van de hoofdstroom, dat is de stroom die de batterij levert.

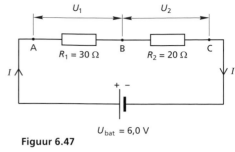
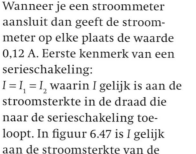

Figuur 6.47

Met de wet van Ohm kun je nu de spanning over elke weerstand berekenen. Zo'n spanning wordt een deelspanning genoemd.
Voor de deelspanning U_1 geldt: $U_1 = I_1 \cdot R_1 = 0,12 \times 30 = 3,6$ V
Voor de deelspanning U_2 geldt: $U_2 = I_2 \cdot R_2 = 0,12 \times 20 = 2,4$ V
De som van deze twee spanningen is precies gelijk aan 6,0 V.
Tweede kenmerk van een serieschakeling:
$U = U_1 + U_2$ waarin U gelijk is aan U_{AC}. In figuur 6.47 is U_{AC} gelijk aan de spanning van de batterij.
Je ziet nog een andere eigenschap. De meeste spanning staat over de weerstand met de grootste weerstandswaarde. Er geldt:

$$\frac{U_1}{U_2} = \frac{R_1}{R_2}$$

Ga dit na.

Vervangingsweerstand bij serieschakeling

Door de hoofdleiding naar de twee weerstanden loopt de hoofdstroom I. Zie figuur 6.48a.

Figuur 6.48a en 6.48b

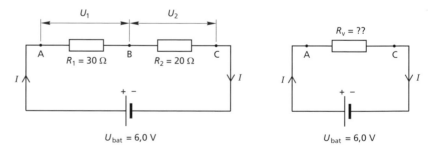

Je kunt ook een schakeling maken met slechts één weerstand waardoor een precies even grote stroom loopt als door de hoofdleiding.
Die ene weerstand noem je de vervangingsweerstand. De waarde van de vervangingsweerstand noem je dan R_v of R_{12}. Zie figuur 6.48b.
Omdat de stroomsterkte 0,12 A is bij een batterijspanning van 6,0 V, heeft

R_v een waarde van $\dfrac{6,0}{0,12} = 50$ Ω.

Het verband tussen R_v, R_1 en R_2 is $R_v = R_1 + R_2$.

Twee in serie geschakelde weerstanden van 20 Ω en 30 Ω kun je vervangen door een weerstand van 50 Ω.
De vervangingsweerstand van twee in serie geschakelde weerstanden heeft dus altijd een grotere waarde dan de grootste waarde van de twee weerstanden afzonderlijk.

Opmerking

1   In plaats van twee weerstanden kun je ook meerdere weerstanden in serie schakelen. Bedenk zelf hoe de formules voor de spanning, de stroomsterke en de vervangingsweerstand er dan uit komen te zien. In de samenvatting zie je de formules staan.

2   Als je een deelspanning vergelijkt met de batterijspanning, dan zie je dat hierbij geldt:

$$\frac{U_1}{U_{bat}} = \frac{R_1}{R_v} \quad en \quad \frac{U_2}{U_{bat}} = \frac{R_2}{R_v}$$

Samenvatting

Parallelschakeling van weerstanden
Drie weerstanden parallel geschakeld:

1   Over elke weerstand staat dezelfde spanning.
2   Door elke weerstand gaat een deel van de hoofdstroom. De som van de takstromen is gelijk aan de hoofdstroom: $I = I_1 + I_2 + I_3$
    Daarbij loopt de grootste stroom door de weerstand met de kleinste weerstandswaarde.
3   De weerstandswaarde van de hele parallelschakeling, dat wil zeggen de vervangingsweerstand R_v, is te berekenen met:

$$\frac{1}{R_v} = \frac{1}{R_1} + \frac{1}{R_2} + \frac{1}{R_3}$$

Hoe meer weerstanden er parallel zijn geschakeld, des te kleiner is de weerstandswaarde van de hele schakeling, des te groter is stroomsterkte die de bron levert.

Serieschakeling van weerstanden
Drie weerstanden in serie geschakeld:

1   Door elke weerstand loopt dezelfde stroom.
2   De batterijspanning verdeelt zich over de weerstanden. De som van de deelspanningen is gelijk aan de batterijspanning:

$$U_{bat} = U_1 + U_2 + U_3$$

Daarbij staat de meeste spanning over de weerstand met de grootste weerstandswaarde.

3   De weerstandswaarde van de hele serieschakeling, dat wil zeggen de vervangingsweerstand R_v, is te berekenen met:

$$R_v = R_1 + R_2 + R_3$$

Hoe meer weerstanden er in serie zijn geschakeld, des te groter is de weerstandswaarde van de hele schakeling, des te kleiner is stroomsterkte die de bron levert.

Opmerking
Schakel je drie weerstanden van respectievelijk 10 Ω, 100 Ω en 1000 Ω in serie, dan geldt R_v = 1110 Ω, dit is groter dan de grootste weerstand van 1000 Ω. Schakel je ze echter parallel, dan geldt R_v = 9,0 Ω. Dit is kleiner dan de kleinste weerstand van 10 Ω.

Practica

Serie- en parallelschakeling van ohmse weerstanden

Serieschakeling

1 Onderzoek hoe in een serieschakeling de spanningen over de onderdelen van de schakeling samenhangen met de spanning die de spanningsbron levert.

2 Onderzoek hoe in een serieschakeling de stroomsterktes door de onderdelen van de schakeling samenhangen met de stroomsterkte die de spanningsbron levert.

Parallelschakeling

1 Onderzoek hoe in een parallelschakeling de spanningen over de onderdelen van de schakeling samenhangen met de spanning die de spanningsbron levert.

2 Onderzoek hoe in een parallelschakeling de stroomsterktes door de onderdelen van de schakeling samenhangen met de stroomsterkte die de spanningsbron levert.

Practicum

Serie- en parallelschakeling van lampjes
Onderzoek of de formules voor de vervangingweerstand in serie- of parallelschakeling ook gelden als je lampjes gebruikt in plaats van ohmse weerstanden.

Gemengde schakeling van weerstanden
Veel schakelingen van weerstanden zijn *gemengde schakelingen*: serie- en parallelschakeling komen dan gecombineerd voor. Een voorbeeld hiervan is in figuur 6.49 te zien.

Figuur 6.49

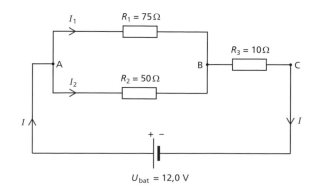

HOOFDSTUK 6

R_1 en R_2 zijn parallel geschakeld. *Samen* zijn ze in serie met R_3 geschakeld. Dit betekent dat de vervangingsweerstand R_{12} in serie is geschakeld met R_3.

a   Bereken de hoofdstroom.

b   Bereken I_1.

c   Bereken I_2.

a   *Overzicht*

De hoofdstroom kun je berekenen door de spanning van de batterij te delen door de vervangingsweerstand van alle weerstanden, R_{123}.
De waarde R_{123} kun je berekenen uit R_{12} en R_3.
De waarde R_{12} kun je berekenen uit R_1 en R_2.

Werkpad

Bereken R_{12} $\dfrac{1}{R_{12}} = \dfrac{1}{R_1} + \dfrac{1}{R_2} = \dfrac{1}{75} + \dfrac{1}{50}$, dus $R_{12} = 30\ \Omega$

Bereken R_{123} $R_{123} = R_{12} + R_3 = 30 + 10 = 40\ \Omega$

Bereken de hoofdstroom I $I = \dfrac{U_{bat}}{R_{123}} = \dfrac{12{,}0}{40} = 0{,}30\ A$

b   *Overzicht*

De stroomsterkte I_1 kun je berekenen met behulp van R_1 en van de spanning U_1.
De spanning U_1 is gelijk aan de spanning over de punten A en B, U_{AB}. De spanning U_{AB} kun je op 2 manieren te weten komen:

1^e manier:

De spanning U_{AB} is ook gelijk aan de spanning over de vervangingsweerstand van de weerstanden 1 en 2. Dus kun je U_{AB} berekenen met behulp R_{12} en de stroomsterkte door deze vervangingsweerstand, I_{12}. Deze stroomsterkte is gelijk aan de hoofdstroom.

2^e manier:

De spanning U_{AB} kun je berekenen met behulp van de spanning van de batterij en de spanning tussen de punten B en C, U_{BC}.
De spanning U_{BC} is gelijk aan de spanning over weerstand 3. Dus kun je U_{BC} berekenen met behulp van R_3 en I_3.
De waarde van I_3 is gelijk aan de hoofdstroom.

Werkpad

1^e manier

Bereken U_{AB} $U_{AB} = U_{12} = I_{12} \times R_{12} = I \times R_{12} = 0{,}30 \times 30 = 9{,}0\ V$

Bereken I_1 $I_1 = \dfrac{U_1}{R_1} = \dfrac{9{,}0}{75} = 0{,}12\ A$

2^e manier

Bereken U_{BC} $U_{BC} = I_3 \times R3 = 0{,}30 \times 10 = 3{,}0\ V.$

Bereken U_{AB} $U_{AB} = U_{bat} - U_{BC} = 12{,}0 - 3{,}0 = 9{,}0\ V.$

Bereken I_1 $I_1 = \dfrac{U_1}{R_1} = \dfrac{9{,}0}{75} = 0{,}12\ A$

c   *Overzicht*

De stroomsterkte I_2 kun je berekenen met behulp van R_2 en de spanning U_2. De spanning U_2 is gelijk aan de spanning over de punten A en B, U_{AB}. De spanning U_{AB} is al bij vraag b berekend.

Werkpad
Bereken I_2

$$I_2 = \frac{U_{AB}}{R_2} = \frac{9,0}{50} = 0,18\,\text{A}$$

Opmerking
Merk op dat $I_1 + I_2 = 0,12 + 0,18 = 0,30$ A. Dat verwacht je ook want de som van de takstromen is gelijk aan de hoofdstroom. Je kunt dus ook gebruik van deze regel maken om een takstroom te berekenen.

Vragen

40 In figuur 6.50 zie je twee weerstanden parallel geschakeld op een batterij van 6,0 V.

Figuur 6.50

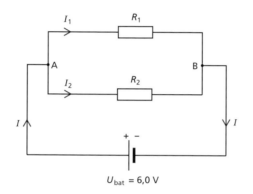

Over weerstand 1 staat een spanning U_1. Over weerstand 2 staat een spanning U_2.
a Welk verband is er tussen de spanning over weerstand 1, de spanning over weerstand 2 en de spanning van de batterij?
b Welk verband is er tussen de stroomsterkte door weerstand 1, de stroomsterkte door weerstand 2 en de stroomsterkte die de batterij levert?
c Welk verband is er tussen de vervangingsweerstand, R_v, en de weerstandswaarde van weerstand 1 en weerstand 2?
De twee takstromen hebben een bepaalde verhouding. Ook de twee weerstandswaarden hebben een bepaalde verhouding. Tussen deze twee verhoudingen is een verband.
d Welk verband is er tussen deze verhoudingen?

41 In figuur 6.51 zie je twee weerstanden met in serie geschakeld op een batterij van 6,0 V.
Over weerstand 1 staat een spanning U_1. Over weerstand 2 staat een spanning U_2.
a Welk verband is er tussen de spanning over weerstand 1, de spanning over weerstand 2 en de spanning van de batterij?
b Welk verband is er tussen de stroomsterkte door weerstand 1, de stroomsterkte door weerstand 2 en de stroomsterkte die de batterij levert?

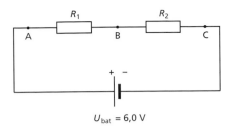

$U_{bat} = 6{,}0$ V

c Welk verband is er tussen de vervangingsweerstand, R_v, en de weerstandswaarde van weerstand 1 en weerstand 2?
De twee deelspanningen hebben een bepaalde verhouding. Ook de twee weerstandswaarden hebben een bepaalde verhouding. Tussen deze twee verhoudingen is een verband.
d Welk verband is er tussen deze verhoudingen?

42 Maak de juiste keuzes.
Hoe meer weerstanden er parallel zijn geschakeld:
a des te groter/kleiner is de weerstandswaarde van de hele schakeling,
b des te groter/kleiner is stroomsterkte die de bron levert.
Hoe meer weerstanden er in serie zijn geschakeld:
c des te groter/kleiner is de weerstandswaarde van de hele schakeling,
d des te groter/kleiner is stroomsterkte die de bron levert.

Opgaven

43 De vragen die in deze opgave worden gesteld, dien je elk met een korte toelichting te beantwoorden. Is er volgens jou sprake van een 'verandering', geef dan aan hoe die verandering is.
Je beschikt over vier identieke lampjes. Drie ervan schakel je in serie en sluit je op een regelbare spanningsbron aan. Zie figuur 6.52a.

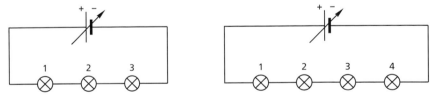

De spanning stel je zo in, dat de lampjes 'goed branden'. Even later sluit je het vierde lampje in serie met de eerste drie aan. Zie figuur 6.52b.
a Verandert hierdoor de spanning over elk van de lampjes 1, 2 of 3?
b Verandert hierdoor de stroomsterkte door elk van de lampjes 1, 2 of 3?
c Gaat hierdoor elk van de lampjes 1, 2 of 3 feller of minder fel branden? Of blijven ze even fel branden?
d Verandert hierdoor het vermogen dat de spanningsbron moet leveren?
Vervolgens schakel je drie van de vier lampjes parallel en sluit je ze op de spanningsbron aan. Zie figuur 6.52c.

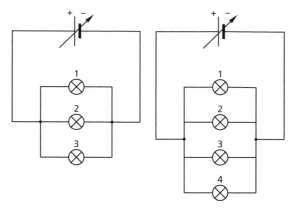

Opnieuw stel je de spanning zo in, dat de lampjes 'goed branden'. Even later sluit je het vierde lampje parallel met de eerste drie aan. Zie figuur 6.52d.

e   Verandert hierdoor de spanning over elk van de lampjes 1, 2 of 3?

f   Verandert hierdoor de stroomsterkte door elk van de lampjes 1, 2 of 3?

g   Gaat hierdoor elk van de lampjes 1, 2 of 3 feller of minder fel branden? Of blijven ze even fel branden?

h   Verandert hierdoor het vermogen dat de spanningsbron moet leveren?

44   Je hebt een spanningsbron van 40 V, waarop je een lampje wilt aansluiten. Het lampje brandt normaal als er een spanning van 12 V over het lampje staat en de stroomsterkte door het lampje gelijk is aan 0,40 A. In figuur 6.53 zie je een het schakelschema van een geschikte schakeling. Bereken de weerstandswaarde van R als het lampje normaal brandt.

Figuur 6.53

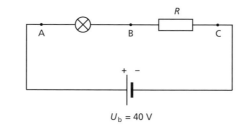

$U_b = 40$ V

45   Je hebt een spanningsbron van 12 V, waarop een lamp en een apparaat is aangesloten. De weerstand van het lampje is gelijk aan 30 Ω. In figuur 6.54 zie je het schakelschema van de schakeling.

Figuur 6.54

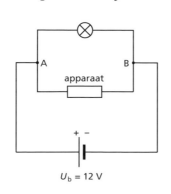

$U_b = 12$ V

De hoofdstroom mag niet groter worden dan 2,0 A.
a Bereken de weerstand die het apparaat heeft als de hoofdstroom precies gelijk is aan 2,0 A.
b Is de waarde van de weerstand die je berekend hebt bij vraag a de maximale waarde of de minimale waarde. Licht je antwoord toe.

46 **Gebruik het werkboek voor het maken van deze opgave.**
Van een fietslampje is in figuur 6.55a het (I,U)-diagram getekend. In figuur 6.55b is het (I,U)-diagram van een ohmse weerstand getekend.

Figuur 6.55a

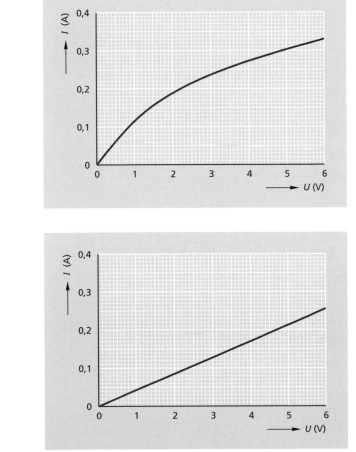

Figuur 6.55b

Figuur 6.56

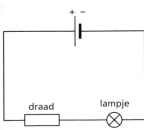

Het fietslampje en de weerstand worden nu in serie aangesloten op een spanningsbron. Zie figuur 6.56.
De stroom door het lampje is dan 0,15 A.
a Laat met behulp van de figuren in het werkboek zien dat de spanning van de spanningsbron 4,9 V bedraagt.
Daarna worden lampje en draad parallel aangesloten op de spanningsbron, die nog steeds dezelfde spanning van 4,9 V levert. Zie figuur 6.57.

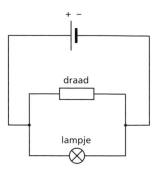

b Bepaal de stroomsterkte die de bron levert als het lampje en de draad parallel aangesloten zijn op een spanning van 4,9 V.

c Leg uit in welke schakeling, de serieschakeling of de parallelschakeling, het lampje het felste zal branden.

47 Je hebt de beschikking over drie weerstanden: $R_1 = 47\ \Omega$, $R_2 = 83\ \Omega$ en $R_3 = 120\ \Omega$. In de figuren 6.58a t/m d zie je vier schakelingen met deze weerstanden.

Figuur 6.58a en 6.58b

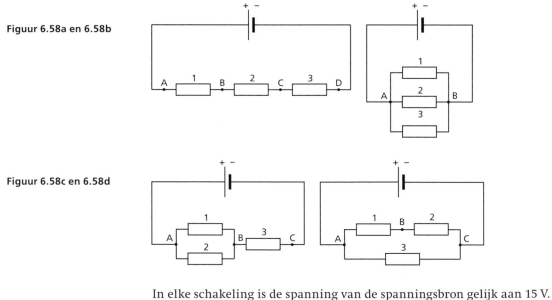

Figuur 6.58c en 6.58d

In elke schakeling is de spanning van de spanningsbron gelijk aan 15 V.

a Bereken voor schakeling 6.58a de spanning over weerstand 1, U_{AB}

b Bereken voor schakeling 6.58b de hoofdstroom.

c Bereken voor schakeling 6.58c de spanning over weerstand 1, U_{AB}

d Beredeneer zonder gebruik te maken van je rekenmachine of de hoofdstroom in schakeling 6.58d groter dan, kleiner dan of gelijk is aan de hoofdstroom in schakeling 6.58c.

48 De motoren van elektrische treinen in Nederland krijgen hun stroom via een koperen bovenleiding. De weerstand van 2,0 km bovenleiding is 0,068 Ω.

In figuur 6.59 is een schakeling getekend die de stroomvoorziening vereen-
voudigd weergeeft.

Figuur 6.59

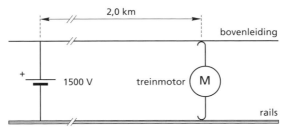

De spanningsbron levert 1,5 kV. Op een bepaald moment is de stroom door
de motor van de trein 4,0 kA. De weerstand van de rails en van de toe- en
afvoerdraden van de motor zijn te verwaarlozen ten opzichte van die van
de bovenleiding. De trein bevindt zich op 2,0 km van de spanningsbron.
a   Bereken de spanning over de motor.
De Nederlandse Spoorwegen wil in de toekomst overschakelen op een
bovenleidingspanning van 25 kV in plaats van 1500 V. Men blijft dezelfde
bovenleiding gebruiken.
b   Leg uit dat de spanning over de motor groter is als 25 kV gebruikt
    wordt in plaats van 1500 V.
Wanneer de motor van een toekomstige trein hetzelfde vermogen afneemt
is het energieverlies in de bovenleiding minder.
c   Leg dat uit.

Figuur 6.60

49 Afra heeft een nieuwe kerstboomverlichting met 50 lampjes gekocht.
    Zie figuur 6.60.
    Op de verpakking staan de volgende aanwijzingen:
1   Alle lampjes dienen goed ingeschoven te zijn; wanneer er één los zit,
    werkt de verlichting niet.
2   De lampjes mogen niet verwijderd of ingeschoven worden wanneer de
    verlichting is aangesloten op het lichtnet.
3   Vervang onmiddellijk een defect lampje door een nieuw lampje.
    De 50 lampjes zijn in serie geschakeld. Dat de lampjes in serie geschakeld
    zijn, volgt direct uit één van de aanwijzingen op de verpakking.

a   Welke aanwijzing is dat? Licht je antwoord toe.

Afra sluit de kerstboomverlichting aan op de netspanning van 230 V. Alle lampjes branden normaal en nemen samen in totaal 35 W aan elektrisch vermogen op.

b   Bereken de weerstand van één brandend lampje.

In figuur 6.61 zijn drie van de 50 lampjes van de kerstboomverlichting weergegeven.

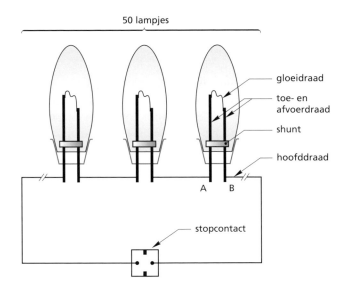

Het snoer is op een stopcontact aangesloten. Elk lampje heeft een toevoer- en een afvoerdraad. Als een lampje goed is ingeschoven, dan maken de toe- en afvoerdraad contact met de hoofddraad. Voor het rechtse lampje is dat bij de punten A en B.

Als er geen lampje is gezet tussen A en B, of er is alleen een heel grote weerstand tussen A en B, dan is de spanning over A en B 230 V.

c   Leg dit uit.

In elk lampje zijn op de toe- en afvoerdraad twee dingen aangesloten: de gloeidraad en parallel daaraan een zogenaamde shunt. Deze shunt is heel speciaal. Als de gloeidraad intact is, dan is zijn weerstand heel groot. Maar als de gloeidraad kapot gaat, dan wordt de weerstand van de shunt juist heel klein.

d   Leg uit dat de weerstand van een brandend lampje gelijk is aan de weerstand van de gloeidraad van dat lampje.

Op een bepaald moment gaat de gloeidraad van een lampje kapot. De spanning over de toe- en afvoerdraad wordt dan 230 V. Dus de spanning over de shunt wordt 230 V. Door die grote spanning verandert de shunt en wordt zijn weerstand klein. Daardoor is er een serieschakeling van 49 lampjes ontstaan.

Het is raadzaam om aanwijzing 3 op te volgen, zeker als er meerdere lampjes kapot gaan.

e   Leg uit dat alle lampjes in korte tijd kapot kunnen gaan als aanwijzing 3 niet wordt opgevolgd.

In deze paragraaf onderzoek je van welke grootheden de weerstand van een metaaldraad afhangt.

Waarschijnlijk kun je wel voorspellen van welke grootheden de weerstand afhangt. Misschien kun je ook voorspellen hoe de weerstand van die grootheden afhangt.

De weerstand van een metaaldraad blijkt afhankelijk te zijn van de lengte, de (dwars)doorsnede, het soort metaal en de temperatuur.

Als je wilt onderzoeken hoe de afhankelijkheid tussen deze grootheden en de weerstand precies is, dan moet je als volgt te werk gaan.

Als je bijvoorbeeld wilt onderzoeken hoe de weerstand afhangt van de lengte, dan moet je een proef uitvoeren waarbij je alleen de lengte van de draad verandert. Bij iedere lengte bepaal je steeds de weerstand. De andere grootheden zoals doorsnede, soort draad en temperatuur, moet je dan niet veranderen. Je zorgt er dus voor dat de grootheid waarvan je de afhankelijkheid wilt onderzoeken de enige variabele is.

Practicum

Weerstand van een constantaandraad
Onderzoek hoe de weerstand van een constantaandraad afhangt van de lengte van de draad.
Onderzoek hoe de weerstand van een constantaandraad afhangt van de doorsnede van de draad

Twee proeven met constantaandraden
Eerst beschrijven we een proef waarmee we onderzoeken hoe de lengte en weerstand precies samenhangen. Daarna een proef om de samenhang van doorsnede en weerstand te onderzoeken. Bij alle proeven bepaal je de weerstand op de manier die in figuur 6.62 is weergegeven.

Figuur 6.62

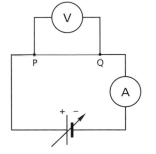

Je klemt de draad in tussen de klemmen P en Q. Vervolgens meet je de spanning en de stroomsterkte. De weerstand volgt dan uit de wet van Ohm.

De lengte van de draad

Als je wilt onderzoeken, hoe de weerstand van een constantaandraad afhangt van de lengte, heb je draden van verschillende lengte nodig maar met dezelfde doorsnede.
In tabel 6.8 staan de resultaten die bij zo'n proef werden verkregen. In figuur 6.63 zijn die resultaten tegen elkaar uitgezet.

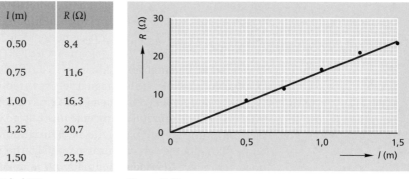

l (m)	R (Ω)
0,50	8,4
0,75	11,6
1,00	16,3
1,25	20,7
1,50	23,5

Tabel 6.8   **Figuur 6.63**

Conclusie

De weerstand van een metaaldraad is recht evenredig met de lengte van de draad.

De doorsnede van een draad

Met behulp van dezelfde schakeling kun je ook onderzoeken hoe de weerstand afhangt van de (dwars)doorsnede. Je hebt dan constantaandraden van verschillende doorsnede nodig maar met dezelfde lengte.
De doorsnede is de grootte van de oppervlakte die je ziet als je de draad doorsnijdt. Je ziet dan het oppervlak van een cirkeltje. Zie figuur 6.64.
De oppervlakte van een cirkel volgt uit de straal of de diameter volgens de formule:

$$A = \pi \cdot r^2 = \pi \cdot (\tfrac{1}{2}d)^2 = \tfrac{1}{4}\pi \cdot d^2$$

In tabel 6.9 staan de resultaten die bij zo'n proef werden verkregen.
In figuur 6.65a is de weerstand R uitgezet als functie van de doorsnede A. Je krijgt hieruit de indruk, dat als de doorsnede k-maal zo groot wordt, de weerstand k-maal zo klein wordt.

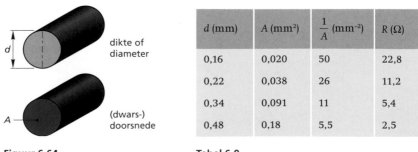

dikte of diameter

(dwars-) doorsnede

Figuur 6.64

d (mm)	A (mm²)	$\dfrac{1}{A}$ (mm⁻²)	R (Ω)
0,16	0,020	50	22,8
0,22	0,038	26	11,2
0,34	0,091	11	5,4
0,48	0,18	5,5	2,5

Tabel 6.9

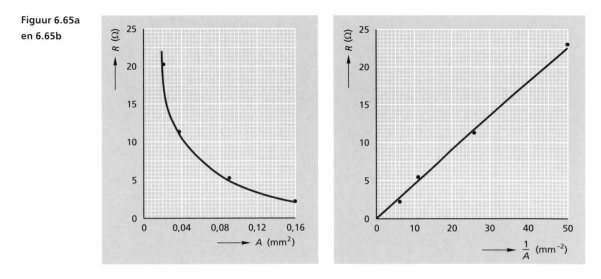

Dit kun je controleren door de weerstand R uit te zetten tegen het omgekeerde van de doorsnede, dus tegen $\frac{1}{A}$.

Daarom is er in de tabel een kolom met die omgekeerde waarden opgenomen. Inderdaad liggen de meetpunten dan op een rechte die door de oorsprong gaat. Zie figuur 6.65b.

Conclusie
De weerstand van een metaaldraad is omgekeerd evenredig met de doorsnede van de draad.

Soortelijke weerstand
Voor de weerstand van een metaaldraad geldt dus het volgende.
De weerstand is recht evenredig met de lengte van de draad: $R \sim l$
De weerstand is omgekeerd evenredig met de doorsnede van de draad:

$$R \sim \frac{1}{A}$$

Dus geldt: $R = \text{constante} \cdot \dfrac{l}{A}$

Wanneer je een draad neemt met een lengte van precies 1 m en een doorsnede van precies 1 m² dan geldt voor de weerstand:

$$R = \text{constante} \cdot \frac{l}{A} = \text{constante} \cdot \frac{1}{1} = \text{constante}$$

Als je de temperatuur buiten beschouwing laat is het enige waar de constante nog van afhangt het soort materiaal. De constante heeft daarom een speciale naam gekregen: de soortelijke weerstand. Het symbool ervoor is ρ. Dat is de Griekse letter rho.
Dan ontstaat:

$$R = \rho \cdot \frac{l}{A}$$

Van veel materialen kun je de soortelijke weerstand in tabellenboeken opzoeken. Zie bijvoorbeeld de tabellen 8 t/m 10 van BINAS. Zulke boeken geven de soortelijke weerstand op in Ωm. Die eenheid krijg je als je voor l de eenheid m neemt en voor A de eenheid m².

Wanneer je nu alles in de formule invult dan krijg je: ... $\Omega = $ ... Ωm $\cdot \dfrac{... \text{ m}}{... \text{ m}^2}$

Op de plaats van de stipjes staan dan meetwaarden.

Je ziet dan dat – na vereenvoudigen – de linkerkant en de rechterkant van het =-teken dezelfde eenheid hebben.

Opmerking

Het symbool ρ wordt voor twee grootheden gebruikt, namelijk voor de soortelijke weerstand en voor de dichtheid. Dat zijn echter totaal verschillende grootheden. Let daar op bij het opzoeken in BINAS.

Voorbeeld

Op een klos is geïsoleerd koperdraad gewikkeld met een diameter van 0,26 mm. De weerstand van het koperdraad bedraagt 16 Ω.
Bereken de lengte van de koperdraad die op de klos gewikkeld is.

Overzicht

Als de weerstand, de soortelijke weerstand en de doorsnede van een draad bekend zijn, kun je de lengte van de draad berekenen. De soortelijke weerstand van koper kun je opzoeken.

Met behulp van de diameter kun je de doorsnede van de draad berekenen. De diameter moet dan wel in meter uitgedrukt worden.

Werkpad

Zoek de soortelijke weerstand van koper op. Let op de kop van de tabel

$$\rho = 17 \cdot 10^{-9} \ \Omega\text{m}$$

Bereken de doorsnede van de draad

$$A = \pi r^2 = \tfrac{1}{4}\pi d^2 = \tfrac{1}{4}\cdot \pi \cdot (0,26\cdot 10^{-3})^2 = \ 5,3\cdot 10^{-8}\,\text{m}^2$$

Geef de formule voor de weerstand van een draad

$$R = \rho \cdot \frac{l}{A}$$

Bereken de lengte van de draad

$$16 = 17\cdot 10^{-9}\frac{l}{5,3\cdot 10^{-8}} \ \text{dus } l = \ 50 \ \text{m}$$

Weerstand en temperatuur

Wat gebeurt er met de weerstand van een metaaldraad als de temperatuur van die draad stijgt? Dit kun je met de volgende proef onderzoeken. Een spiraalvormige koperdraad sluit je in serie met een stroommeter op een voedingskastje aan. De spanning stel je zo in, dat de wijzer van de stroommeter de maximale uitslag geeft.

Vervolgens ga je de koperdraad met een gasvlam verwarmen. Zie figuur 6.66.

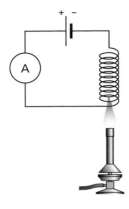

Je zult dan merken, dat de wijzer van de stroommeter steeds verder terugloopt. De spanning van de bron is echter hetzelfde gebleven. Dit betekent, dat de weerstand van de koperdraad toeneemt. Dit blijkt bij de meeste metalen te gebeuren.

Conclusie
De weerstand van een metaaldraad neemt toe als de temperatuur van die draad stijgt.

Uit paragraaf 6.3 is je bekend dat de weerstand van een lampje toeneemt als de spanning over het lampje toeneemt. Zie ook figuur 6.67.

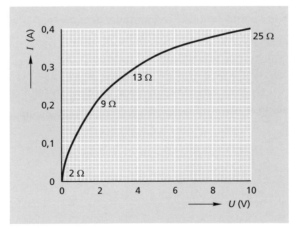

Is over het lampje de juiste spanning komen te staan (de 'brandspanning'), dan is de temperatuur van de gloeidraad tot ruim 2000 °C opgelopen. De weerstand van het lampje is dan meer dan vertienvoudigd.

Opmerking
Bij de proeven die in het begin van deze paragraaf besproken zijn, hebben we geen rekening hoeven te houden met de invloed van de temperatuur op de weerstand. Dit komt doordat we constantaandraden hebben gebruikt. Constantaan is een legering van koper, nikkel en mangaan.

De samenstelling is zo gekozen dat de weerstand van een constantaan-draad niet of nauwelijks met de temperatuur verandert.
Ohmse weerstanden zijn dan ook vaak van constantaan gemaakt. Het materiaal is constantaan genoemd omdat de weerstand constant is, onafhankelijk van de temperatuur.

Samenvatting

De weerstand van een metaaldraad is recht evenredig met de lengte en omgekeerd evenredig met de (dwars)doorsnede van de draad.
Er geldt de formule:

$$R = \rho \cdot \frac{l}{A}$$

- R is de weerstand van de draad in ohm (Ω).
- ρ is de soortelijke weerstand van het materiaal van de draad in ohm × meter (Ωm).
- l is de lengte van de draad in meter (m).
- A is de (dwars)doorsnede van de draad in vierkante meter (m²).
De weerstand van een metaaldraad hangt ook af van de temperatuur.
Als de temperatuur stijgt, neemt de weerstand van de meeste metalen toe.

Vragen

50 De formule voor de weerstand van een draad luidt $R = \rho \cdot \dfrac{l}{A}$

In de formule zie je het symbool ρ. Dit is het symbool van de grootheid soortelijke weerstand.
a   Wat is de eenheid van soortelijke weerstand?
Piet maakt de schakeling weergegeven in figuur 6.68 en leest de twee meters af.

Figuur 6.68

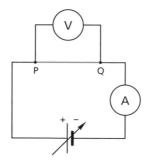

Hij kan nu de waarde van een van de grootheden berekenen die in de formule van de weerstand een draad voorkomen.
b   Welke grootheid is dat? Licht je antwoord toe.
Om de soortelijke weertand van de draad te kunnen bepalen moet hij nog twee metingen doen.
c   Welke metingen zijn dat?

Er zijn vier grootheden die invloed hebben op de weerstand van een draad. Drie ervan staan in de formule.

d Noem de andere grootheid die invloed heeft op de weerstand van een draad.

51 Jan heeft vier ronde constantaandraden met dezelfde lengte maar een verschillende dikte. Hij meet van elke draad de dikte en de weerstand. Zijn gegevens staan in de tabel 6.10.

Tabel 6.10

d (mm)	R (Ω)
0,16	22,8
0,22	11,2
0,34	5,4
0,48	2,5

Hij wil met behulp van een grafiek controleren of de gegevens in tabel 6.10 voldoen aan de formule voor de weerstand van een draad. Hij moet daartoe eerst zijn tabel uitbreiden met een derde en een vierde kolom. Eerst berekent hij de doorsnede van elke draad en schrijft de uitkomst in de derde kolom.

a Hoe kan Jan de doorsnede van een draad berekenen als de diameter gegeven is? De berekening zelf hoef je niet te maken.

Weerstand en doorsnede zijn omgekeerd evenredig.

b Op welke manier moet je weerstand en doorsnede dan in een diagram uitzetten om een rechte lijn te krijgen?

c Wat moet er dus in de vierde kolom komen te staan. Ook nu hoef je de berekening niet te maken.

Opgaven

52 De kabels voor zogenaamde hoogspanningsleidingen zijn heel lang. Men gebruikt deze leidingen om elektrische stroom van een elektriciteits-centrale naar een stad te laten lopen.

a Leg uit waarom deze kabels ook nog eens heel dik moeten zijn.

Bij de keuze van materiaal voor de leidingen let men op de soortelijke weerstand van het materiaal. Stel dat je de keuze hebt tussen koper en messing. Messing is een alliage van koper en zink. (Een alliage is een mengsel van metalen.)

b Zoek de soortelijke weerstand van koper en messing op en noteer deze.

c Welk materiaal zou jij kiezen als je de soortelijke weerstand van koper en messing met elkaar vergelijkt? Geef een toelichting.

53 Hedwig wil onderzoeken wat het verschil is tussen een langdurig gebruikt en een nog niet gebruikt gloeilampje. Daartoe bepaalt zij van beide lamp-jes het (I,U)-diagram. Het resultaat van haar metingen is weergegeven in figuur 6.69.

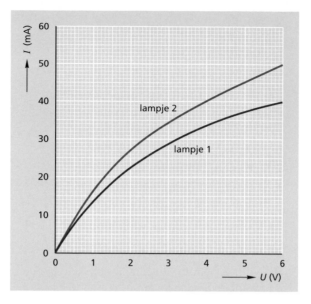

a Bepaal de weerstand van lampje 1 bij een spanning van 3,5 V.

Bij onderzoek van de gloeidraden blijkt de gloeidraad van een oud lampje op bepaalde plekken aanzienlijk dunner te zijn dan die van een nieuw lampje. Dit wordt veroorzaakt door de verdamping van het metaal van de gloeidraad omdat de temperatuur tijdens het branden zeer hoog is.

b Leg met behulp van figuur 6.69 uit welke van de twee lampjes het nieuwe lampje is.

Een gedeelte van de gloeidraad van een oud lampje is schematisch weergegeven in figuur 6.70.

Figuur 6.70

We vergelijken 1 mm lengte van het dunne gedeelte met 1 mm lengte van het dikke gedeelte. In dezelfde tijd ontstaat in het dunne gedeelte meer warmte dan in het dikke gedeelte. Hierdoor is de kans op smelten van het dunne gedeelte groter dan van het dikke gedeelte.

c Leg uit dat in het dunne gedeelte in dezelfde tijd meer warmte ontstaat dan in het dikke gedeelte.

De gloeidraad van een oud lampje smelt vaak door tijdens het inschakelen van de lamp. Dit komt omdat de warmteontwikkeling in een draad tijdens het inschakelen groter is dan tijdens het branden.

d Leg dit uit.

54 In tabel 6.11 staan de gegevens van vier draden. Al deze draden zijn van hetzelfde materiaal gemaakt.

Tabel 6.11

draad	l (m)	d (mm)	R (Ω)
A	5,0	0,20	175
B		0,20	70
C	5,0		28
D	3,0	0,30	

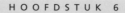

a Bereken aan de hand van de gegevens van draad A de soortelijke weerstand van de draad.
b Bepaal van welk materiaal deze draad is gemaakt.
c Bereken de ontbrekende waarden in tabel 6.11.

55 In een gloeilamp (60 W; 230 V) bevindt zich een gloeidraad gemaakt van wolfraam.
a Bereken de weerstand van de lamp als hij aangesloten is op het lichtnet.
De doorsnede van de gloeidraad is 0,0080 mm². Neem aan dat de temperatuur van de gloeidraad 293 K is.
b Bereken de lengte van de gloeidraad.
In werkelijkheid stijgt de temperatuur van de gloeidraad tot meer dan 2500 °C.
c Leg of de berekende lengte bij vraag b te groot of te klein is.
d Hoe is te verklaren dat de gloeidraad wel heet wordt maar de aansluitdraden van de lamp niet?

56 Maartje heeft een spoel met geïsoleerd constantaandraad en wil de lengte van de draad te weten komen. Met een schroefmicrometer meet zij de dikte van een blank gemaakt stukje draad en vindt hiervoor 0,25 mm. Vervolgens gaat Maartje de weerstand van de spoel bepalen. Zij maakt gebruik van een voltmeter en een ampèremeter.
a Teken een schema van een schakeling waarmee Maartje de weerstand kan bepalen.
Maartje constateert dat de stroomsterkte 54,5 mA bedraagt als over de spoel een spanning van 15,0 V staat.
b Bereken de lengte van de constantaandraad.

57 Een broodrooster heeft gloeistaven. Ze bevinden zich aan weerskanten van de gleuf waar de snee brood in komt. Elke gloeistaaf heeft een dikte (diameter) van ongeveer 0,5 cm en is aan de buitenkant van roestvrij staal. Zie figuur 6.71.

Figuur 6.71

Van buitenaf is niet te zien of:
mogelijkheid A: de gloeistaaf van massief staal is (staaf A)
of
mogelijkheid B: zich binnen een stalen omhulsel een veel dunnere gloeidraad bevindt (staaf B).
Zowel bij mogelijkheid A als bij mogelijkheid B zou de temperatuur van een gloeistaaf zo hoog zijn dat je bij aanraking je vingers brandt. Toch verdient een van de twee mogelijkheden uit veiligheidsoverweging de voorkeur.
a Leg uit welke mogelijkheid, A of B, de voorkeur verdient.
Zonder het apparaat uit elkaar te halen is na te gaan of je met mogelijk-

heid A of mogelijkheid B te maken hebt. Je berekent de weerstand van staaf A en je meet de weerstand van de staaf A.

b   Welke metingen moet je uitvoeren om de weerstand van staaf A te kunnen berekenen?

c   Hoe meet je de weerstand van staaf A?

d   Hoe kun je nu concluderen of de echte staaf massief is of niet?

6.7   Variabele weerstand en spanningsdeler

Op veel elektrische apparatuur zitten schuifjes en draaiknopjes. Zo bevindt zich op de versterker van een stereo-installatie een draaiknop waarmee je het volume kunt regelen. Zie figuur 6.72.

Figuur 6.72

Meestal zijn ook schuifjes aanwezig waarmee je de hoge en lage tonen kunt regelen. In dergelijke schakelingen is vaak een schuifweerstand of een draaiweerstand opgenomen.

In deze paragraaf bespreken we twee toepassingen van zo'n schuif- of draaiweerstand: de variabele weerstand en de spanningsdeler.

Variabele weerstand

Je hebt gezien dat de weerstand van een metaaldraad recht evenredig is met de lengte van de draad. Dus als je de stroom door een kort stuk draad laat lopen dan ondervindt de stroom een kleine weerstand; bij een lang stuk draad een grote weerstand.

Daarop berust de werking van de schuifweerstand in figuur 6.73a en de draaiweerstand in figuur 6.73b.

Een lange metaaldraad is om een cilinder van isolerend materiaal gewikkeld. De draad heeft als beginpunt A en als eindpunt B. De hele draad heeft bijvoorbeeld een weerstand van 500 Ω. Je kunt er echter ook voor zorgen dat de stroom niet door de hele draad loopt maar slechts door een deel ervan.

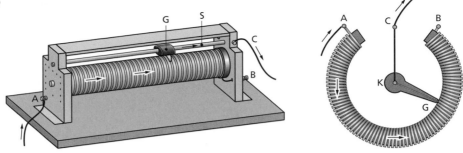

De stroom gaat bij A de schuifweerstand in, loopt vervolgens door het linkerdeel van de draad naar het glijcontact G en verlaat via het rechterdeel van de staaf S de schuifweerstand via de draad bij punt C.
Als de schuifweerstand zo is ingesteld dat de schuif dichter bij B staat, dan moet de stroom meer windingen doorlopen en is de weerstand die de stroom ondervindt dus groter.

Bij de draaiweerstand komt de stroom ook bij A aan, loopt naar het glijcontact G en loopt over de draaiknop K naar punt C. Als je de draaiknop verder naar B draait, dan wordt de weerstand die de stroom ondervindt groter.
In beide gevallen kun je op deze manier de weerstandswaarde tussen 0 en 500 Ω variëren.

Toepassing
Bij veel radiotoestellen regel je de geluidssterkte met een volumeknop.
Met die knop wordt de schuif in een schuifweerstand of het glijcontact in draaiweerstand verplaatst en daarmee wordt de weerstand in een schakeling gewijzigd.

Figuur 6.74a

Het symbool voor de variabele weerstand is het symbool voor een weerstand met een pijltje er doorheen. Zie figuur 6.74a. Het aansluitpunt links komt overeen met het punt A uit bovenstaande figuren en het aansluitpunt rechts met punt C uit de figuren 6.73a en b.

Figuur 6.74b

Het is ook mogelijk om een ander symbool te gebruiken, het symbool voor de spanningsdeler. Zie figuur 7.74b. Het aansluitpunt links komt overeen met het punt A, het aansluitpunt rechts met B en het pijltje komt overeen met punt C uit de figuren 6.73 a en b.
In de figuren 6.75a en 6.75b zie je hoe een schuifweerstand in een schakeling met een lampje opgenomen kan zijn.

Figuur 6.75a en 6.75b

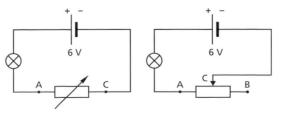

Je ziet dat de schematische weergave van de schuifweerstand in figuur 6.75b meer lijkt op de werkelijke situatie dan in figuur 6.75a. Je ziet ook dat de schakeling een serieschakeling is van het lampje en het deel van de schuifweerstand waardoor stroom loopt.

Dit betekent dat de stroomsterkte door de lamp gelijk is aan de stroomsterkte door deel AC. In de schakeling van figuur 6.75b is deze stroomsterkte gelijk aan de hoofdstroom.

In deze serieschakeling wordt de spanning van de spanningsbron verdeeld over de lamp en deel AC.

Voorbeeld
Je hebt een spanningsbron van 40 V, waarop je een lamp wilt aansluiten. De lamp brandt normaal als er een spanning van 12 V over de lamp staat. De stroomsterkte door de lamp is dan gelijk aan 0,40 A. In figuur 6.76 zie je een schakelschema waarin de lamp en een schuifweerstand opgenomen zijn.

Figuur 6.76

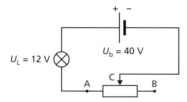

a Bereken de weerstandswaarde van het deel AC van de schuifweerstand. De lamp gaat minder fel branden als het pijltje met punt C naar rechts wordt geschoven. Het vermogen dat de lamp opneemt wordt dus kleiner. Dit komt doordat zowel de spanning over de lamp als de stroomsterke door de lamp kleiner wordt.

b Leg dit uit.

a *Overzicht*
De weerstand van deel AC kun je berekenen uit U_{AC} en de I_{AC}.
U_{AC} kun je berekenen met behulp van de spanning over de lamp en de spanning van de spanningsbron.
I_{AC} is bekend als de spanning over de lamp 12 V is.
Werkpad

Bepaal I_{AC} $\qquad$ $I_{AC} = I_{lamp} = 0,40A$

Bereken U_{AC} $\qquad$ $U_b = U_{lamp} + U_{AC}$ $\qquad$ $U_{AC} = 40 - 12 = 28$ V

Bereken R_{AC} $\qquad$ $R_{AC} = \dfrac{U_{AC}}{I_{AC}} = \dfrac{28}{0,12} = 2,3 \cdot 10^2 \ \Omega$

b *Overzicht*
De stroomsterkte door de lamp is gelijk aan de hoofdstroom. De weerstand van deel AC wordt groter. Dus wordt de totale weerstand van de serieschakeling groter. De spanningsbron blijft 40 V. Dus wordt de stroomsterkte kleiner. De spanning over de lamp kun je berekenen met $U_{lamp} = I_{lamp} \cdot R_{lamp}$. Als de weerstand van de lamp gelijk blijft en de stroomsterkte wordt kleiner, wordt dus de spanning over de lamp kleiner.

Opmerking
Je kunt ook als volgt redeneren. In de serieschakeling wordt de spanning van de spanningsbron verdeeld over de weerstand van de lamp en de weerstand van deel AC. Hierbij staat de meeste spanning over de grootste weerstand. Omdat de weerstand van de lamp niet verandert en de weerstand van deel AC toeneemt, neemt dus de spanning over deel AC toe. Dit betekent dat de spanning over de lamp afneemt.

Als in de schakeling van figuur 6.76 het pijltje met punt C zich helemaal links bevindt, staat de maximale spanning van 40 V over het lampje. Het lampje gaat dan waarschijnlijk stuk! Staat het pijltje met punt C helemaal rechts dan staat de laagste mogelijk spanning over het lampje. De spanning over het lampje is dan niet 0 V. Dit komt omdat het een serieschakeling is. De spanning van de spanningsbron wordt dan verdeeld over de weerstand van het lampje en het deel AC van de schuifweerstand waardoor stroom loopt. Met een variabele weerstand kun je de spanning dus niet regelen van 0 V tot de maximale waarde. Met behulp van een spanningsdeler kan dat wel.

Spanningsdeler
Stel, je beschikt over een spanningsbron met een spanning van 12 V en je hebt een fietslampje dat slechts 6 V kan verdragen. Hoe kun je het lampje dan toch op 6 V laten branden?

Je neemt dan twee weerstanden, R_1 en R_2, die dezelfde weerstandswaarde hebben (bijvoorbeeld 10 Ω) en maakt een serieschakeling. Zie figuur 6.77a. Uit paragraaf 6.5 volgt dat de spanning van de spanningsbron in dit geval wordt verdeeld in twee gelijke delen van 6 V.

Figuur 6.77a en 6.77b

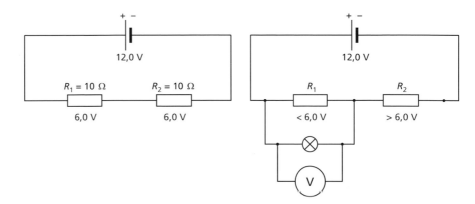

Sluit je nu het lampje parallel aan R_1, dan blijkt het lampje te zwak te branden. Meting met een spanningsmeter zal uitwijzen dat de spanning over het lampje minder dan 6 V is. Zie figuur 6.77b.
Dit kun je ook verwachten. Het lampje heeft een bepaalde weerstand. En in een parallelschakeling heeft de vervangingsweerstand altijd een kleinere waarde dan de weerstandswaarde van elk van de parallel geschakelde weerstanden afzonderlijk. Dus is de vervangingsweerstand van R_1 en het lampje samen kleiner dan 10 Ω. De weerstand van R_2 is 10 Ω. Over de grootste weerstand staat het grootste deel van de spanning. Dus staat over

R_2 meer dan 6 V en over R_1 en het lampje minder dan 6 V. Om het lampje dus op 6 V te laten branden moet de weerstand van R_2 kleiner worden dan de weerstand van R_1.

Een schakeling waarin op eenzelfde manier gebruik gemaakt wordt van een serieschakeling, maar waarbij de waarde van de weerstanden instelbaar zijn zie je in figuur 6.78a en in figuur 6.78b.

Figuur 6.78a en 6.78b

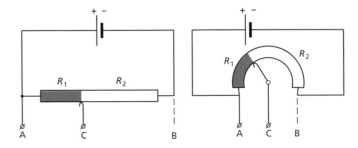

Ook hier wordt de spanning van de bron verdeeld over de twee weerstanden, R_1 en R_2. Men spreekt daarom over een spanningsdeler.
De letters A, B en C komen overeen met de punten A, B en C in figuren 6.73a en 6.73b.
Het glijcontact verdeelt de hele weerstand eigenlijk in twee stukken. Over beide stukken staat nu een deel van de spanning van de spanningsbron. Parallel aan een van de stukken wordt een apparaat geschakeld, bijvoorbeeld een lamp. Zie figuur 6.79a.

Figuur 6.79a en 6.79b

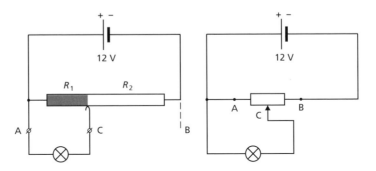

Het glijcontact kun je nu verschuiven tot de juiste spanning bereikt is. Een schematische weergave van de schakeling zie je in figuur 6.79b.
De schakeling is een combinatie van een parallelschakeling en een serieschakeling.
Voor de stroomsterkte geldt dan: $I_{lamp} + I_{AC} = I_{CB}$. In de schakeling in figuur 6.78b is I_{CB} dan gelijk aan de hoofdstroom.
Voor de spanning geldt: $U_{lamp} = U_{AC}$ (parallelschakeling). Voor de serieschakeling geldt dat de spanning van de spanningsbron verdeeld wordt over de parallelschakeling en deel CB. Dus geldt er bijvoorbeeld: $U_{AC} + U_{CB} = U_{bron}$ of $U_{lamp} + U_{CB} = U_{bron}$.

Als in de schakeling van figuur 6.79b het pijltje met punt C zich helemaal links bevindt, staat over het lampje een spanning van 0 V. Staat het pijltje met punt C helemaal rechts dan staat over het lampje de maximale spanning van 12 V. Omdat het een 6V-lampje betreft, zal het waarschijnlijk doorbranden.

Voorbeeld
In figuur 6.80 zie je een schakeling waarin een schuifweerstand wordt gebruikt.

Figuur 6.80

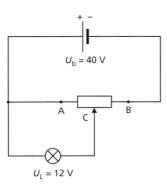

De schuifweerstand heeft een maximale waarde van 50 Ω. Parallel aan deel AC van de schuifweerstand staat een lampje dat normaal brandt als een spanning van 12 V over het lampje staat. De stroomsterkte door het lampje is dan 0,40 A.
Als de weerstand van deel AC dan gelijk is aan 21,1 Ω, blijkt de lamp normaal te branden.
Laat zien dat dan geldt: $I_{lamp} + I_{AC} = I_{CB}$.

Overzicht
Je moet dus $I_{lamp} + I_{AC}$ uitrekenen en vergelijken met I_{CB}.
I_{lamp} is bekend als de lamp normaal brandt.
I_{AC} kun je berekenen uit U_{AC} en R_{AC}.
U_{AC} weet je, omdat U_{lamp} bekend is. R_{AC} is bekend uit de gegevens.
I_{CB} kun je berekenen uit U_{CB} en R_{CB}
R_{CB} kun je berekenen uit de totale weerstand van de schuifweerstand en de weerstand van deel AC.
U_{CB} kun je berekenen uit U_{bron} en U_{lamp} (of uit U_{bron} en U_{AC}).
Werkpad

Bereken U_{CB} $U_{CB} = 40 - 12 = 28$ V

Bereken R_{CB} $R_{CB} = 50 - 21,1 = 28,9$ Ω

Bereken I_{CB} $I_{CB} = \dfrac{U_{CB}}{R_{CB}} = \dfrac{28}{28,9} = 0,97$ A

Bepaal I_{lamp} $I_{lamp} = 0,40$ A

Bepaal U_{AC} $U_{AC} = U_{lamp} = 12$ V

Bereken I_{AC} $I_{AC} = \dfrac{U_{AC}}{R_{AC}} = \dfrac{12}{21,1} = 0,57$ A

Bereken $I_{lamp} + I_{AC}$ $I_{lamp} + I_{AC} = 0{,}40 + 0{,}57 = 0{,}97$ A

Dus: $I_{CB} = I_L + I_{AC}$

Opmerking
In de schakelingen met schuifweerstanden en spanningdelers levert de spanningsbron energie, E_{in}. De energie wordt voor een deel gebruikt in de schuifweerstand of in de spanningsdeler. Die hoeveelheid moet zo klein mogelijk zijn. De rest van de energie wordt in het lampje gebruikt.

Practicum

Rendement bij variabele weerstand en spanningsdeler
Je hebt de beschikking over een spanningsbron van 12 V, een lampje van 6 V en een schuifweerstand.
Maak nu twee schakelingen om het lampje op de spanningsbron aan te sluiten:
- een waarin de schuifweerstand als variabele weerstand wordt gebruikt;
- een waarin de schuifweerstand als spanningsdeler wordt gebruikt.
Onderzoek in welk van de twee schakelingen het rendement het grootst is.

Vragen

58 **Gebruik het werkboek voor het maken deze vraag.**
Je hebt de beschikking over een spanningsbron van 12 volt; een lampje van 6 volt en een schuifweerstand. In figuur 6.81 zijn deze onderdelen schematisch weergegeven.

Figuur 6.81

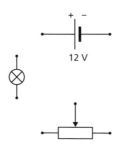

In het werkboek is deze figuur tweemaal afgedrukt.
Je maakt eerst een schakeling waarin de schuifweerstand als variabele weerstand wordt gebruikt.
a Teken in het werkboek in figuur W6.9a de verbindingsdraden zo, dat een schakelschema ontstaat waarin de schuifweerstand als variabele weerstand wordt gebruikt.
Daarna maak je een schakeling waarin de schuifweerstand als spanningsdeler wordt gebruikt.
b Teken in het werkboek in figuur W6.9b de verbindingsdraden zo, dat een schakelschema ontstaat waarin de schuifweerstand als spanningsdeler wordt gebruikt.

59 In figuur zie 6.82 zie je het schakelschema van een schakeling waarin een schuifweerstand gebruikt wordt als variabele weerstand.

Figuur 6.82

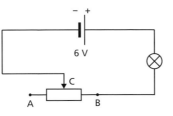

De uiterste standen van schuif C zijn de standen A en B.
a   In welke stand staat er een spanning van 6 V over de lamp?
b   Leg uit dat in de andere stand de spanning over de lamp niet 0 V is.

Figuur 6.83

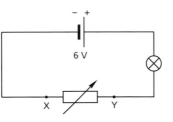

In figuur 6.83 zie je een ander symbool voor een variabele weerstand. In figuur 6.83 zie je de letters X en Y. Deze komen overeen met de letters A, B of C.
c   Welke letter hoort bij X en welk letter hoort bij Y?

60 In figuur zie 6.84 zie je het schakelschema van een schakeling waarin een schuifweerstand gebruikt wordt als spanningsdeler.

Figuur 6.84

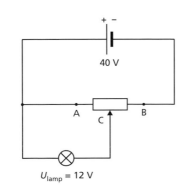

a   Welk wiskundig verband is er tussen de hoofdstroom, I_{lamp}, I_{AC} en I_{CB}?
b   Welk wiskundig verband is er tussen de spanning van de spannings-bron, U_{lamp}, U_{AC} en U_{CB}?

61 Een nadeel van het gebruik van een schuifweerstand is dat behalve in
de lamp ook in de schuifweerstand elektrische energie wordt omgezet.
In figuur 6.85 zie je een schakeling met een lamp van 6 V. De lamp brandt
normaal.

Figuur 6.85

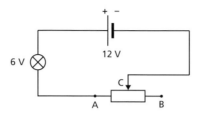

a   Leg uit dat het rendement van deze schakeling 50% is als de lamp
normaal brandt.
In figuur 6.86 zie je hetzelfde lampje aangesloten in een schakeling
waarin de schuifweerstand als spanningsdeler is gebruikt.

Figuur 6.86

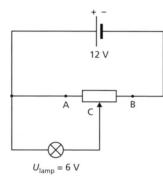

b   Leg uit dat het rendement nu lager dan 50% is als de lamp normaal
brandt.

62 **Gebruik het werkboek voor het beantwoorden van vraag b van deze
opgave.**
Als een gloeilamp rechtstreeks aangesloten wordt op het stopcontact,
brandt de lamp op 230 V. Bij die spanning heeft een bepaalde lamp een
weerstand van 821 Ω.
a   Bereken het elektrische vermogen dat dan geleverd wordt.
De lamp wordt opgenomen in de schakeling die in figuur 6.87 is getekend.
De spanning waarop de lamp brandt, kan worden veranderd door het
aansluitpunt S te verschuiven.
Deze schakeling wordt gebruikt om de (I,U)-karakteristiek van de lamp te
maken. Daartoe moeten er in de schakeling ook nog een spanningsmeter
en een stroommeter worden opgenomen. In je werkboek staat figuur 6.87
waarin de verbindingsdraden zijn weggelaten.

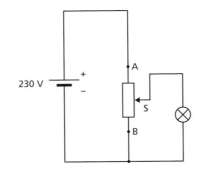

b Teken in je werkboek in figuur W6.10 een schakelschema met verbindingsdraden met daarin de spanningsmeter en de stroommeter.
In figuur 6.88 is de (I,U)-karakteristiek van de lamp weergegeven.

Figuur 6.88

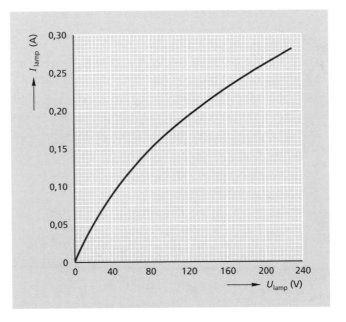

Op een zeker moment is punt S zó ingesteld dat de lamp brandt op een spanning van 90 V. De weerstand van het gedeelte AS is dan 518 Ω.
c Bereken de stroomsterkte door het gedeelte AS van de regelbare weerstand.
Gebruik het antwoord uit vraag c voor de beantwoording van de volgende vraag.
d Bepaal de stroomsterkte door het gedeelte SB van de regelbare weerstand. Geef de uitkomst in twee significante cijfers.

63 **Gebruik het werkboek voor het beantwoorden van vraag a van deze opgave.**
Ton onderzoekt de mogelijkheid een eenvoudige 'lichtdimmer' te maken. Daartoe maakt hij gebruik van een accu (12 V) en een schuifweerstand. De schuifweerstand heeft een maximale weerstandswaarde van 120 Ω;

het glijcontact ervan kan maximaal 25 cm worden verplaatst. Eerst bouwt Ton een schakeling volgens het schema van figuur 6.89.

Figuur 6.89

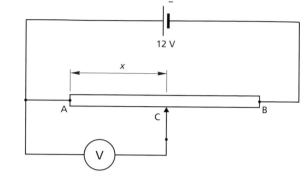

Dan verschuift hij langzaam het glijcontact van A naar B en meet daarbij de spanning als functie van de afstand tussen punt A en het glijcontact. Die afstand noemen we x.

Figuur 6.89 staat ook in je werkboek. Daarnaast zijn de assen van een (U,x)-diagram weergegeven.

a   Teken in je werkboek in figuur W6.11 de grafiek in het (U,x)-diagram die hoort bij de metingen van Ton.

Vervolgens vervangt Ton de spanningsmeter door de autolamp (12 V; 4,8 W)

b   Bereken de weerstand van de autolamp als hij aangesloten is op 12 V.

Als de schuif in het midden staat dan zijn R_{AC} en R_{CB} elk 60 Ω. De vervangingsweerstand van de parallelschakeling tussen de punten A en C, $R_{lamp,AC}$, is maar 20 Ω.

c   Laat dit met behulp van een berekening zien.

d   Bereken de spanning over de lamp.

In werkelijkheid heeft een lamp geen constante weerstand. De weerstand is groter naarmate de spanning over de lamp groter is.

e   Beredeneer of er hierdoor een grotere of een kleinere spanning over de lamp staat dan je onder d hebt berekend.

Ton wil de lamp echter op een spanning van 6,0 V laten branden.

f   Beredeneer of hij het glijcontact dan meer naar A toe of juist verder van A af moet zetten.

64   **Gebruik het werkboek voor het beantwoorden van vraag a van deze opgave.**

Om een lampje te dimmen, maakt Linda de schakeling die in figuur 6.90 schematisch is afgebeeld. Als variabele weerstand gebruikt ze een zogenaamde weerstandsbank. In figuur 6.91 zie je een tekening van de apparatuur.

De weerstandsbank is het apparaat met de vier instelknoppen bovenin de tekening. De waarde R kun je met deze instelknoppen nauwkeurig regelen. De aansluitpunten van de weerstandsbank zitten aan de rechterkant van het apparaat.

De spanningsbron is het zwarte kastje. Tussen de polen van de spanningsbron (aan de linkerkant van het kastje) staat een constante spanning van 6,0 V. Figuur 6.91 staat ook in je werkboek.

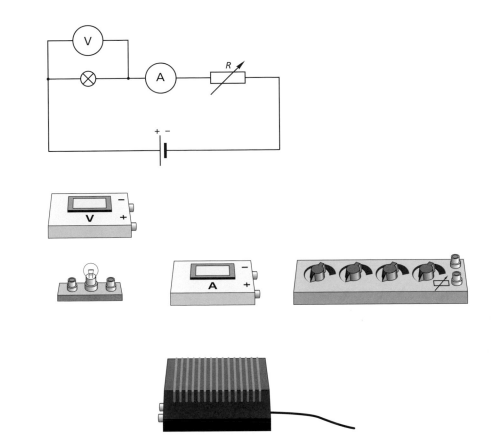

a Teken in figuur W6.13 in je werkboek de verbindingsdraden zodat de schakeling van figuur 6.90 ontstaat. Je hoeft geen rekening te houden met de plus- en minpool van de meters.

Als de waarde R van de weerstandsbank gelijk is aan 0 Ω brandt het lampje normaal. Als Linda R vergroot, gaat het lampje zwakker branden. Van haar metingen maakt zij twee grafieken. In figuur 6.92 is de spanning U_L over het lampje als functie van de waarde R van de weerstandsbank getekend. In figuur 6.93 is de stroomsterkte I door het lampje als functie van R getekend.

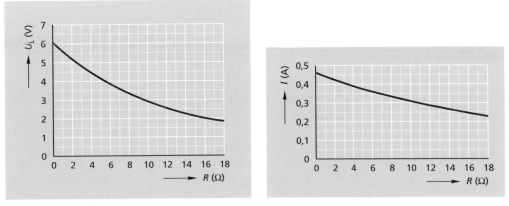

Figuur 6.92 en 6.93

De weerstand van het lampje noemen we R_L.

b Bepaal de grootte van R_L als het lampje niet gedimd is.

Linda weet uit de theorie dat de weerstand van een lampje toeneemt als zijn temperatuur stijgt.

c Leg uit of haar meetresultaten hiermee in overeenstemming zijn.

Linda maakt ook de grafiek van het elektrisch vermogen P_L van het lampje als functie van de waarde R van de weerstandsbank. Zie figuur 6.94.

Figuur 6.94

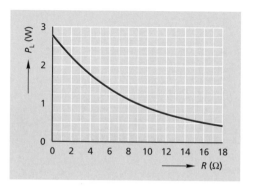

d Controleer voor $R = 6,0\ \Omega$ of de grafiek van figuur 6.94 in overeenstemming is met de grafieken van figuur 6.92 en 6.93.

Uit figuur 6.94 blijkt dat het elektrisch vermogen van het lampje in ongedimde toestand 2,8 W is. De spanningsbron levert dan dus ook een vermogen van 2,8 W.

Linda dimt het lampje door R op 6,0 Ω in te stellen. Ze vraagt zich af of op deze manier energie bespaard wordt, dus of het vermogen dat de spanningsbron levert kleiner is dan 2,8 W.

e Beantwoord de vraag van Linda.

6.8   Enkele bijzondere weerstanden en sensoren

Je weet dat metalen de elektrische stroom goed geleiden en dat niet-metalen de elektrische stroom niet geleiden. Grafiet is hierop een uitzondering. Grafiet, een vorm van koolstof, is een niet-metaal dat de elektrische stroom goed geleidt.

Nog twee uitzonderingen zijn silicium en germanium, twee atoomsoorten die in het periodiek systeem op de scheiding tussen de metalen en de niet-metalen staan. Zij worden halfgeleiders genoemd. Dit komt omdat silicium en germanium de stroom redelijk kunnen geleiden: veel slechter dan metalen maar veel beter dan de meeste niet-metalen.

Silicium en germanium zijn de stoffen die gebruikt worden in een aantal bijzondere weerstanden, zoals de NTC, de LDR en de diode.

Figuur 6.95

NTC

In paragraaf 6.6 heb je gelezen dat de weerstand van een metaaldraad toeneemt als de temperatuur van de draad toeneemt. Men zegt ook wel: metalen zijn stoffen met een positieve weerstandstemperatuurcoëfficiënt. Daarom wordt een metaaldraad ook wel een PTC genoemd. Silicium en germanium zijn twee stoffen, waarvan de weerstand juist afneemt als de temperatuur toeneemt. Deze stoffen hebben een negatieve weerstandstemperatuurcoëfficiënt. Een weerstand gemaakt van dat materiaal noemt men een NTC. In figuur 6.95 staat het schemasymbool van een NTC. In figuur 6.96 zie je hoe de weerstand van een bepaalde NTC, gemaakt van silicium of germanium, afhangt van de temperatuur.

Je ziet dat de weerstand van de NTC sterk verandert als de temperatuur verandert. Zijn temperatuurafhankelijkheid is veel groter dan die van een PTC. Daarom kun je een NTC heel goed gebruiken in een temperatuursensor.

Figuur 6.96

De NTC in een temperatuursensor

Figuur 6.97

De schakeling van figuur 6.97 kun je als temperatuursensor gebruiken. Er is een spanningsbron van 5,0 V. Daarop zijn twee weerstanden in serie aangesloten. Een NTC en een ohmse weerstand met $R_1 = 200\ \Omega$. Er is een spanningsmeter over de ohmse weerstand geplaatst.

Omdat de weerstanden in serie staan geldt:

$$U_{NTC} + U_1 = U_{bron} = 5,0\,V$$

De spanning van de spanningsbron wordt dus verdeeld over de twee weerstanden. Hierbij zal over de grootste weerstand de grootste spanning staan. Als de temperatuur stijgt, wordt de weerstand van de NTC kleiner terwijl de weerstand van de ohmse weerstand gelijk blijft. De spanning van 5,0 V wordt door de temperatuurstijging dus anders verdeeld. Over de NTC komt een kleinere spanning te staan en over de ohmse weerstand een grotere spanning.

Als je de spanning over de ohmse weerstand nu als maat voor de temperatuur gebruikt en je vervangt de schaalverdeling voor de spanning door een schaalverdeling voor de temperatuur, dan heb je een handige temperatuurmeter. Hoe hoger de temperatuur, hoe groter de uitslag van de meter.

Voorbeeld

a   Bereken de spanning over de ohmse weerstand bij 20 °C. Maak hierbij gebruik van figuur 6.96.

b   Bereken de spanning over de ohmse weerstand bij 36 °C. Maak hierbij gebruik van figuur 6.96.

Overzicht

De spanning over de ohmse weerstand, U_1, kun je berekenen met behulp van R_1 en I_1. I_1 is gelijk aan de stroomsterkte door de NTC en is ook gelijk aan de hoofdstroom.

De hoofdstroom bereken je met de spanning van de spanningsbron en de vervangingsweerstand van het geheel.

De vervangingsweerstand van het geheel bereken je met R_1 en R_{NTC}. R_{NTC} kun je bepalen uit figuur 6.96.

Werkpad

a   Bepaal de weerstand van de NTC bij 20 °C

uit figuur 6.96 lees je af R_{NTC} = 200 Ω

Bereken de vervangingsweerstand

R_v = R_1 + R_{NTC} = 200 + 200 , dus R_v = 400 Ω

Bereken de stroomsterkte die de spanningsbron levert

$$I = \frac{U}{R_v} = \frac{5,0}{400} = 0,0125\ A$$

Bereken de spanning over de ohmse weerstand

$$U_1 = I \cdot R_1 = 0,0125 \times 200 = 2,5\ V$$

b   Bepaal de weerstand van NTC bij 36 °C

uit figuur 6.96 lees je af R_{NTC} = 50 Ω

Bereken de vervangingsweerstand

R_v = R_1 + R_{NTC} = 200 + 50 = 250 Ω

Bereken de stroomsterkte die de spanningsbron levert

$$I = \frac{U}{R_v} = \frac{5,0}{250} = 0,020 \text{ A}$$

Bereken de spanning over de ohmse weerstand

$$U_1 = I \cdot R_1 = 0,020 \times 200 = 4,0 \text{ V}$$

Sensor

Met de schakeling van figuur 6.97 kun je de temperatuur elektrisch meten. Een apparaat dat een natuurkundige grootheid elektrisch kan meten noemen we een sensor. Een sensor doet dus twee dingen:

- Hij neemt een natuurkundige grootheid waar.
- Hij zet de grootheid om in een elektrische spanning.

Een voorwaarde is natuurlijk dat de spanning verandert als de grootheid verandert.

Temperatuursensor: karakteristiek en halveringstijd

Bepaal het verband tussen de temperatuur en de spanning van een temperatuursensor.

Als je de temperatuursensor uit heet water haalt, zal de temperatuur langzaam dalen tot kamertemperatuur. De grafiek die het verband tussen de temperatuur en de tijd weergeeft wordt de afkoelingskromme van de temperatuursensor genoemd.

Bepaal de afkoelingskromme van de temperatuursensor.

De tijd die nodig is om het verschil met de kamertemperatuur te halveren wordt halveringstijd genoemd.

Bepaal de halveringstijd van het afkoelen van de temperatuursensor.

LDR, lichtsensor

Een *LDR* is een lichtgevoelige weerstand. LDR is de afkorting van Light Dependent Resistor. De weerstand van een LDR wordt bepaald door de *hoeveelheid licht* die erop valt. Die weerstand wordt kleiner, naarmate de LDR sterker wordt belicht. Figuur 6.98 geeft het schemasymbool van een LDR.

Het is het symbool voor een weerstand met twee kleine pijltjes die er naartoe lopen. Die pijltjes stellen lichtstralen voor.

Een lichtsensor is een schakeling met een LDR. Zo'n schakeling reageert dan op licht. Denk hierbij aan de belichtingsmeter van een fototoestel of aan een elektronisch oog dat ervoor zorgt, dat een liftdeur voor je wordt open gehouden. Ook het automatisch in- en uitschakelen van straatverlichting kan dankzij het gebruik van een lichtsensor.

Figuur 6.98

LDR
Onderzoek met behulp van een lichtsensor of een fietslampje in alle richtingen evenveel licht uitstraalt.

Diode

Een bijzonder schakelelement is de halfgeleiderdiode, kortweg diode genoemd.
Een diode zorgt voor eenrichtingsverkeer van elektronen in een stroomkring waarin de diode is opgenomen. Dat komt doordat de stroom maar in één richting door een diode kan lopen. Het schemasymbool voor de diode staat in figuur 6.99.

Figuur 6.99 en 6.100

Er kan alleen in de richting van de pijl stroom door de diode lopen. Kijk je vanaf de rechterkant naar dit symbool, dan zie je eerst het verticale streepje. Dit streepje geeft als het ware aan: 'stop'. In figuur 6.100 is een foto van een halfgeleiderdiode opgenomen. Het zwarte ringetje komt overeen met het zwarte 'stop'-streepje in het symbool.

Dat zo'n diode de stroom slechts in één richting doorlaat blijkt uit de volgende proef.
Een diode, een lampje en een stroommeter sluit je aan op een spanningsbron. Je zorgt er dan voor, dat de diode zo in de schakeling is opgenomen als in figuur 6.101a is weergegeven.

Figuur 6.101a en 6.101b

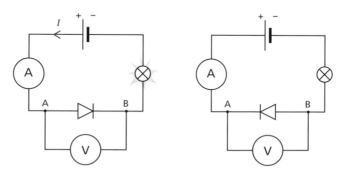

Je zult zien dat het lampje gaat branden en dat de wijzer van de stroommeter een uitslag geeft. De stroom I loopt van de pluspool naar de minpool. Er loopt dus stroom van A naar B door de diode. We zeggen dan: de diode is in doorlaatrichting geschakeld. De spanningsmeter over de diode geeft dan een spanning van rond de 1 volt aan, de zogenaamde drempelspanning of doorlaatspanning.

Vervolgens keer je de diode om. Zie figuur 6.101b. Je zult merken dat het lampje niet gaat branden en dat de wijzer van de stroommeter op nul blijft staan. De stroom kan namelijk niet meer van A naar B door de diode lopen. De diode is nu in sperrichting geschakeld. De spanningsmeter geeft nu dezelfde spanning aan als over de spanningsbron staat.

Conclusie
De diode heeft een heel grote weerstand als hij in sperrichting staat en een geringe weerstand als hij in doorlaatrichting staat.

Opmerking
De stroomsterkte door een diode mag niet te groot worden. Bij te grote stroomsterktes gaat een diode kapot, omdat hij door een te grote warmte-ontwikkeling gaat smelten.

Practicum	**Het (*I,U*)-diagram van een diode**
	Bepaal het (*I,U*)-diagram van een diode. Noem de spanning in de doorlaat-richting positief en de spanning in de sperrichting negatief.

Figuur 6.102

Er zijn ook dioden gemaakt die licht geven als ze in doorlaatrichting staan. Dit zijn de zogenaamde LED's. LED is de afkorting van Light Emitting Diode. Het schemasymbool voor een LED staat in figuur 6.102.
Het is het symbool voor een diode met twee kleine pijltjes die er vanaf lopen. Die pijltjes stellen lichtstralen voor.

Figuur 6.103

Een LED kom je meestal tegen als signaallampje. Denk hierbij aan het standby-lampje van een televisie.
Een LED heeft twee grote voordelen ten opzichte van een gloeilamp. Een LED heeft een hoog lichtrendement en is bijna onverslijtbaar. Zo kan een rode LED een rendement van 50% halen terwijl een gloeilamp maar 5% haalt. Je ziet dan ook steeds meer dat de verlichting van het achterlicht van een fiets vervangen wordt door een aantal LED's die werken op een batterij. In nieuwe verkeerslichten zie je dat de gloeilampen vervangen worden door LED's. In figuur 6.103 zie je dat een modern groen verkeers-licht bestaat uit een verzameling groene LED's.

Als er dan een LED kapot is, heeft dit nauwelijks gevolgen voor de licht-opbrengst. Andere toepassingen van LED's vind je onder andere in licht-kranten.

Samenvatting

- Een NTC is een temperatuurgevoelige weerstand. De waarde van de weerstand is kleiner naarmate de temperatuur hoger is.
- Een LDR is een lichtgevoelige weerstand. De waarde van de weerstand is kleiner naarmate de LDR sterker wordt belicht.
- Een sensor is een apparaat dat een natuurkundige grootheid omzet in een elektrische spanning. Voorbeelden zijn temperatuursensor en lichtsensor.
- Een diode heeft een geringe weerstand als hij in doorlaatrichting staat en een zeer grote weerstand als hij in sperrichting staat.
- Een LED is een diode die licht geeft als hij in doorlaatrichting staat.

Vragen

65 In figuur 6.104a zie je een schakeling met een NTC.
    a Waarvan is NTC de afkorting?

Figuur 6.104a en 6.104b

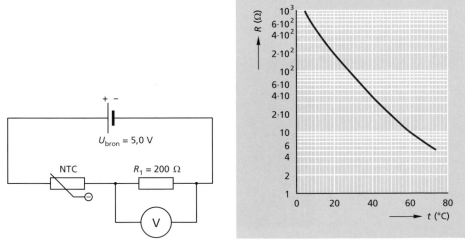

In figuur 6.104b zie je hoe de weerstand van de NTC afhangt van de temperatuur.
    b Bepaal de spanning over de ohmse weerstand als de temperatuur 30 °C is.

66 Een LDR wordt toegepast in lichtsensor.
    a Wat doet een lichtsensor?
    b Geef het schemasymbool van een LDR.
    c Wordt de weerstand van een LDR groter of kleiner naarmate de LDR meer wordt belicht.

67 Een LED is een diode die licht kan geven.
   a Geef het schemasymbool van een LED.
   b Wanneer geeft een LED licht: als hij in de doorlaatrichting is geschakeld of als hij in de sperrichting is geschakeld?
In nieuwe verkeerslichten zie je dat de gloeilampen vervangen worden
door LED's.
   c Noem drie voordelen van een LED ten opzichte van een gewone gloeilamp.

Opgaven

68 In figuur 6.105 zie je het schema van een door Arjan gebouwde schakeling.
Beide lampjes branden, maar alleen het licht van lampje A valt op de LDR.
Opent Arjan schakelaar S, dan gaan beide lampjes uit.

Figuur 6.105

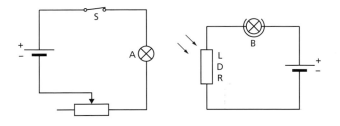

   a Hoe is te verklaren dat ook lampje B uitgaat?
Na de schakelaar weer te hebben gesloten, verschuift Arjan het glijcontact
van de schuifweerstand. Lampje B blijkt daardoor iets feller te gaan branden.
   b Leg uit of Arjan het glijcontact naar links of naar rechts heeft verschoven.

69 Iris onderzoekt de werking van een LED. Zij maakt een schakeling waarvan het schakelschema in figuur 6.106 is weergegeven. Met deze schakeling bepaalt zij het verband tussen de spanning over en de stroomsterkte
door de LED.
In figuur 6.107 is het
resultaat van haar
metingen weergegeven.
De doorlaatspanning
van de LED blijkt 1,4 V
te bedragen.

Figuur 6.106 en 6.107

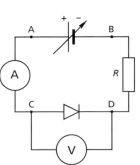

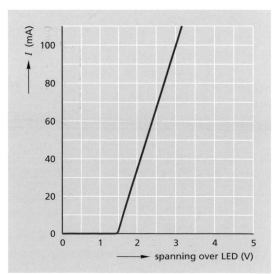

a   Beschrijf, gebruikmakend van de grafiek, wat men onder de 'doorlaat-spanning' van een LED verstaat.

In de schakeling is een weerstand R van 50 Ω opgenomen.

b   Bepaal de spanning die de spanningsbron levert, als er door de LED een stroom loopt van 100 mA.

70   Er bestaan tweekleuren-LED's. In een behuizing zijn twee LED's samen-gebracht. Bijvoorbeeld een LED die een rode kleur geeft en een LED die een groene kleur geeft.
In figuur 6.108 zie je een schakeling waarin een tweekleuren-LED is opgenomen.

Figuur 6.108

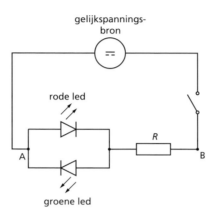

Met deze schakeling kun je de pluspool van een spanningsbron bepalen.
Als de schakelaar wordt gesloten geeft de tweekleuren-LED een groene kleur.
a   Is punt A met de pluspool of met de minpool van de gelijkspannings-bron verbonden? Licht je antwoord toe.
b   Welke kleur zie je als in de schakeling van figuur 6.108 in plaats van de gelijkspanningsbron een wisselspanningsbron wordt gebruikt?
c   Wat is de functie van weerstand R?

71   Bea heeft een schakeling gebouwd waarin een NTC voorkomt. Zie figuur 6.109.

Figuur 6.109

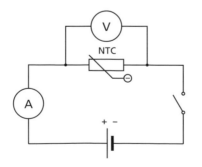

De spanning van de bron bedraagt 30 V. Direct na het sluiten van de schakelaar leest zij af dat de stroomsterkte 0,15 A bedraagt. Korte tijd later is de stroomsterkte al opgelopen tot 0,75 A.

a Verklaar het toenemen van de stroomsterkte.

b Bepaal aan de hand van figuur 6.104b hoe groot de temperatuurstijging van de NTC is in die korte tijd.

72 Maaike en Lia onderzoeken hoe de weerstand van een LDR afhangt van de verlichtingssterkte. Daartoe hangen ze een gloeilamp boven de LDR in een voor de rest verduisterde ruimte. Ze variëren de afstand tussen de lamp en de LDR. Bij elke afstand meten ze de weerstand van de LDR. Van de resultaten van de proef maken ze een grafiek die is weergegeven in figuur 6.110.

Figuur 6.110 en 6.111

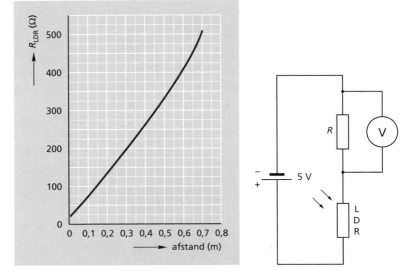

a Leg met behulp van figuur 6.110 uit of de weerstand van de LDR groter of kleiner wordt als de verlichtingssterkte toeneemt.

Vervolgens maken ze de schakeling die in figuur 6.111 is afgebeeld. Voor de grootte van de weerstand R kan gekozen worden uit twee weerstanden, een van 100Ω en een van 500Ω.

b Leg uit bij welke van deze twee weerstanden de spanningsmeter de grootste spanning aangeeft, als op de LDR even veel licht valt.

Zij besluiten voor R een weerstand van 500Ω te nemen. De schakeling weergegeven in figuur 6.111 heeft de functie van lichtsensor. De spanning over R is het signaal dat de sensor afgeeft.

c Leg uit dat als er meer licht op de LDR valt, de spanning over R groter wordt.

d Leg uit dat als er meer licht op de LDR valt, de spanning over de LDR kleiner wordt.

e Waarom zal men een lichtsensor maken met een V-meter die over de R geplaatst is?

Figuur 6.112

Om thuis elektrische apparaten op een veilige manier op het elektriciteitsnet van 230 V aan te kunnen sluiten, is een huisinstallatie aangelegd. De stopcontacten, schakelaars en lichtpunten zijn via een stelsel van draden op de apparatuur in de meterkast aangesloten. De draden zijn meestal weggewerkt, maar soms zie je ze, bijvoorbeeld als er nog een lamp moet worden aangesloten. Zie figuur 6.112.

Als je de deur van een meterkast opendoet zie je waarschijnlijk onderdelen zoals die ook voorkomen in figuur 6.113.

Figuur 6.113

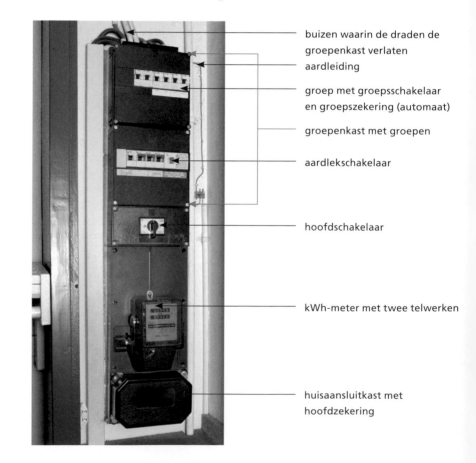

buizen waarin de draden de groepenkast verlaten

aardleiding

groep met groepsschakelaar en groepszekering (automaat)

groepenkast met groepen

aardlekschakelaar

hoofdschakelaar

kWh-meter met twee telwerken

huisaansluitkast met hoofdzekering

In deze paragraaf wordt de huisinstallatie besproken. Eerst komen de onderdelen buiten de meterkast aan bod. Daarna wordt de inhoud van de meterkast zelf besproken.

Draden

De elektrische stroom komt het huis binnen via een ondergrondse hoofd-kabel. In deze hoofdkabel bevinden zich twee draden waarmee de elektrische stroom aan- en afgevoerd wordt. Zo'n draad heeft een koperen kern en is voorzien van een isolatiemantel. Deze isolatiemantel heeft een kleur die samenhangt met de functie van de draad.

De draad waarmee de elektrische stroom het huis binnenkomt, noemt men de fasedraad. De isolatiemantel van de fasedraad heeft een bruine kleur. De draad waarmee de stroom het huis weer verlaat, noemt men de nuldraad. De isolatiemantel van de nuldraad heeft een blauwe kleur.

De nuldraad is in de elektriciteitscentrale en in het transformatorhuisje geaard, dat wil zeggen dat hij in verbinding is gebracht met het grond-water. De spanning van de nuldraad ten opzichte van de aarde is 0 V.

De fasedraad heeft dan de netspanning van 230 V ten opzichte van de nuldraad en dus ten opzichte van de aarde.

Behalve de elektriciteitskabel met fasedraad en nuldraad, komt ook nog een aardleiding het huis binnen. Deze leiding is verbonden met een metalen staaf, die dicht bij je huis diep in de grond steekt. Zo diep, dat de weerstand ten opzichte van het grondwater zeer klein is: kleiner dan 1 Ω.

De spanning van de aardleiding ten opzichte van de aarde is ook 0 V.

De aardleiding die het huis ingaat, is een zilverkleurige metaaldraad zonder isolatiemantel. Na de groepenkast is de aardleiding een koperen draad met een geelgroene isolatiemantel. Vanaf dat moment wordt de aardleiding ook wel aarddraad genoemd. Waarom deze aardleiding nodig is, wordt later in deze paragraaf besproken.

Naast fasedraad, nuldraad en aarddraad komt in de huisinstallatie nog een vierde soort draad voor: de schakeldraad. De isolatiemantel van een schakel-draad is zwart. Een schakeldraad loopt van een schakelaar naar een vast lichtpunt en kan als een verlengstuk van de fasedraad worden beschouwd. Zie figuur 6.114. Met de schakelaar kun je de lamp onder spanning zetten.

Figuur 6.114

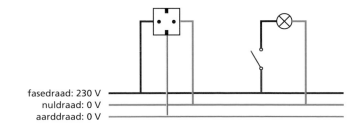

fasedraad: 230 V
nuldraad: 0 V
aarddraad: 0 V

Schakelaars

Schakelaars kunnen 1-polig of 2-polig zijn. Een 1-polige schakelaar onder-breekt alleen de fasedraad. Dit is het geval in de tekening van figuur 6.114. Een 2-polige schakelaar onderbreekt zowel de fasedraad als de nuldraad.

Een 2-polige schakelaar wordt vaak gebruikt in vochtige ruimtes zoals een keuken of een ruimte waarin een wasmachine staat. Bij een 1-polige schakelaar zou door condensvorming toch spanning over een apparaat kunnen komen te staan terwijl de schakelaar de stroomkring onderbroken heeft.

Een 2-polige schakelaar kom je ook tegen in de groepenkast. Zie figuur 6.122.

Stopcontacten

Op de stopcontacten kun je apparaten aansluiten die werken op 230 V. De officiële naam voor een stopcontact is wandcontactdoos. Sommige stopcontacten zijn voorzien van randaarde. Zie figuren 6.115a en b.

Figuur 6.115a en 6.115b

In figuur 6.114 is schematisch een stopcontact met randaarde weergegeven. Het lijkt dat maar één van de glijcontacten met de aardleiding is verbonden. In het stopcontact zelf zijn echter de twee glijcontacten via een metalen beugel met elkaar verbonden. Ook in een stekker die geschikt is voor een stopcontact met randaarde zijn de twee metalen strippen met elkaar verbonden. Zie figuur 6.116.

Figuur 6.116

Overigens mogen sinds 1997 in nieuwe woningen uitsluitend nog stopcontacten met randaarde aangelegd worden. Dit geldt dus ook voor een woon- of slaapkamer.

Met behulp van een spanningzoeker kun je onderzoeken of een draad onder spanning staat: dat wil zeggen een spanning van 230 V heeft ten opzichte van de aarde. Je steekt de punt van de spanningzoeker in het stopcontact en je raakt tegelijkertijd met je duim de metalen knop op de bovenkant aan. Zie figuur 6.117.

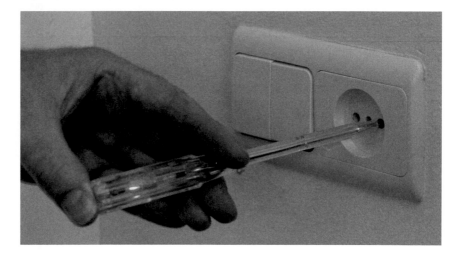

Als het neonlampje brandt, staat de draad onder een spanning.

Stroom door je lichaam
Als je met een spanningszoeker contact maakt met de fasedraad licht de spanningszoeker op. De felheid waarmee de spanningszoeker oplicht hangt af van de manier waarop je contact maakt met de aarde. Onderzoek dit.

Huisaansluitkast
De hoofdkabel gaat eerst naar de huisaansluitkast. In deze kast bevindt zich de hoofdzekering. De huisaansluitkast is verzegeld. Zie figuur 6.118. Dit betekent dat uitsluitend een monteur van het elektriciteitsbedrijf de huisaansluitkast mag openen om bijvoorbeeld een zekering te vervangen.

kWh-meter

De hoeveelheid elektrische energie die uit
het elektriciteitsnet wordt opgenomen,
wordt met een kilowattuurmeter, of
afgekort kWh-meter, gemeten. Zie figuur
6.119a en b.

Ook een kWh-meter is verzegeld.
Als er elektrische energie wordt opgenomen, dan loopt een elektrische stroom
in de hoofdkabel. Deze stroom loopt via
kWh-meter naar de rest van de huisinstallatie. Daardoor gaat in de kWh- meter een
schijf draaien. Door het draaien van de
schijf gaat een telwerk lopen. Dat telwerk
geeft dan de hoeveelheid opgenomen
elektrische energie aan.
Sommige kWh-meters hebben twee
telwerken. Zie figuur 6.119b.

Figuur 6.119a

Als beide telwerken aangesloten zijn is
één telwerk voor de daluren met een
laagtarief en het andere telwerk voor de
overige uren met normaal tarief. Bij de
daluren worden vaak de uren gerekend
tussen 's avonds 11 uur tot 's morgens
7 uur; de uren in het weekend en op
officiële feestdagen. De stroom die tijdens
de daluren loopt wordt ook wel nacht-
stroom genoemd.

Hoofdschakelaar

Boven de kWh-meter wordt meestal de
hoofdschakelaar aangebracht. Zie figuur
6.120.

Figuur 6.119b

Hiermee kun je de hele huisinstallatie
van het elektriciteitsnet afschakelen.
Dit moet je bijvoorbeeld doen wanneer
er in huis brand is uitgebroken.

Groepenkast

In de zogenaamde groepenkast wordt de
kabel gesplitst in een aantal parallelle
takken. Zo'n aftakking wordt een groep
genoemd. Je ziet dat ook de zilverkleurige
aardleiding de groepenkast ingaat. Zie
figuur 6.121.

Figuur 6.120

Ook de aardleiding wordt gesplitst en opgenomen in de parallelle takken. Vanuit elke groep gaan verbindingsdraden naar stopcontacten en naar vaste lichtpunten met bijbehorende schakelaars.
Bijvoorbeeld: een groep dient om de hal en de woonkamer van elektriciteit te voorzien, een andere groep dient voor de keuken enzovoort. Soms bestaat een groep uit slechts één stopcontact met randaarde waar een speciaal apparaat op aangesloten moet worden.

Figuur 6.121

In het schakelschema van figuur 6.122 zie je hoe in een groepenkast de splitsing in groepen plaatsvindt. Dit schema heeft betrekking op een huisinstallatie met drie groepen.

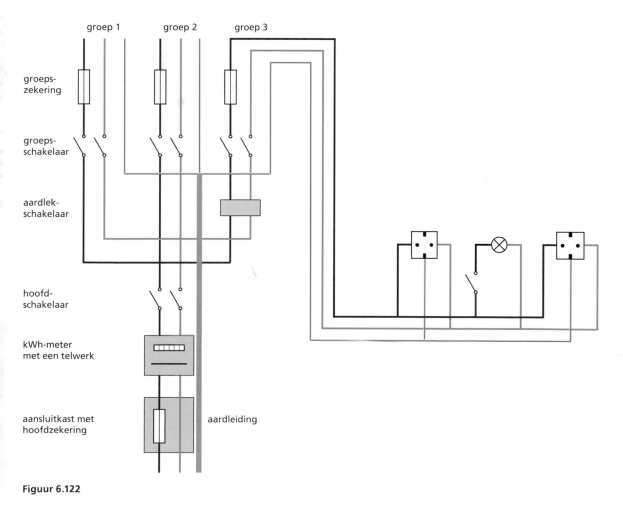

Figuur 6.122

Elke groep wordt beschermd door een zekering. Een van de drie groepen, namelijk groep 3, wordt ook nog door een aardlekschakelaar beveiligd.

Zoals je ziet, zijn de groepen parallel geschakeld. Verder is schematisch weergegeven, hoe op de leidingen van groep 3 een vast lichtpunt en twee stopcontacten zijn aangesloten. Ook deze zijn dus parallel geschakeld. Je kunt daardoor elk elektrisch apparaat onafhankelijk van de andere elektrische apparaten aan- en uitschakelen.

Kortom: alle vaste lichtpunten en stopcontacten in de hele woning zijn parallel geschakeld. Elk elektrisch apparaat dat je aansluit, wordt daardoor op dezelfde spanning aangesloten: de netspanning van 230 V.

Groep

Elke groep heeft een eigen schakelaar. Zie figuur 6.122 en 6.123.

Dit is een 2-polige schakelaar. Dat wil dus zeggen dat je bij het uitschakelen zowel de fasedraad als de nuldraad onderbreekt.

Wanneer je aan een bepaald deel van de huisinstallatie iets moet repareren of veranderen, dan schakel je de groep uit waaronder dat deel valt. Dan hoeft dus niet de hele huisinstallatie uitgeschakeld te worden.

Elke groep heeft een eigen zekering. Bij kortsluiting zal dan alleen de bijbehorende groep uitvallen. De apparaten die op de andere groepen aangesloten zijn blijven dan onder spanning staan.

Sommige groepen worden naast de zekering ook nog beschermd door een aardlekschakelaar. Zie figuur 6.122 en 6.123.

Zekering

Loopt door een draad een elektrische stroom, dan wordt er in die draad warmte ontwikkeld. Bij een grote stroomsterkte kan de draad zo warm worden, dat de isolatiemantel van de draad smelt. Er is dan kans op brand. Om brand te voorkomen, zijn in de huisinstallatie (groeps)zekeringen opgenomen.

Over het algemeen zijn de draden in een woning op een stroomsterkte van maximaal 16 A berekend. Groepszekeringen zijn dus zekeringen van 16 A. Je treft ze echter ook nog van 6 A en 10 A aan. De hoofdzekering is meestal een zekering van 35 A. In oude huisinstallaties is de hoofdzekering vaak nog 25 A. De (groeps)zekeringen in een huisinstallatie kunnen smeltzekeringen of automatische zekeringen zijn.

Smeltzekering

Een smeltzekering bestaat uit een houder, waarin een smeltpatroon past. Zie figuur 6.124a en b.

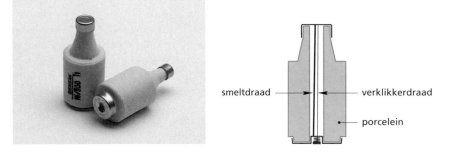

smeltdraad — verklikkerdraad

porcelein

In de smeltpatroon bevindt zich een draadje, dat bij een bepaalde stroom-sterkte doorsmelt. Vaak wordt dan gezegd: 'De stop slaat door'.
De stop moet dan vervangen worden. Voordat je de stop kunt vervangen, moet je natuurlijk eerst de oorzaak opsporen. Soms slaat de stop door bij het inschakelen van een apparaat, dan zit de fout in het apparaat.
Een andere naam voor smeltzekering is smeltveiligheid.

Automatische zekering

Automatische zekeringen hebben een knopje, dat eruit springt bij een te grote stroomsterkte in de fasedraad. Andere automatische zekeringen hebben in plaats van een knopje een schakelaar die omklapt bij een te grote stroomsterkte.
Zie figuur 6.125
Voordeel van een automatische zekering is dat hij na een stroomonderbreking gewoon opnieuw ingeschakeld kan worden, bijvoorbeeld door de schakelaar over te halen.

Figuur 6.125

Aardlekschakelaar

Is in de huisinstallatie een aardlekscha-kelaar opgenomen, dan bevindt dit apparaat zich tussen de kWh-meter en de groep of groepen die hij beschermt.
Zie figuur 6.126.
Komt je lichaam, direct of indirect, in contact met de fasedraad, dan biedt een zekering geen enkele beveiliging. Een zekering verbreekt de stroomkring pas bij een stroomsterkte van 6 A, 10 A of 16 A. Maar voor je lichaam is een stroomsterkte van 40 mA al heel gevaarlijk. Een stroomsterkte van 100 mA is meestal dodelijk.

Figuur 6.126

Een aardlekschakelaar biedt wel beveiliging als je in contact komt met de fasedraad.

Een aardlekschakelaar reageert op het verschil in stroomsterkte in de fasedraad en de nuldraad. Als er niets aan de hand is, zijn die stroomsterkten even groot. Maar loopt er een stroom naar de aarde, bijvoorbeeld via je lichaam, dan is de stroomsterkte in de nuldraad kleiner dan de stroomsterkte in de fasedraad. Is dit verschil groter dan 30 mA, dan wordt binnen 0,2 s de groep uitgeschakeld. In de aardlekschakelaar gaat dan namelijk een schakelaar open, waardoor zowel de fasedraad als de nuldraad wordt onderbroken.

In verband met de veiligheid is het van belang de werking van de aardlekschakelaar regelmatig te testen. Op het apparaat zit daarvoor een testknopje. Zie figuur 6.126.

Aarddraad

Soms voel je een elektrische schok als je een apparaat aanraakt. Om tegen elektrische schokken beschermd te zijn, horen elektrische apparaten met een metalen omhulsel, zoals wasmachines, centrifuges en koelkasten, geaard te zijn.

In figuur 6.127a zie je het circuit van de elektrische stroom als een wasmachine normaal werkt. Met een rode gestreepte lijn is het circuit van de stroom weergegeven.

Figuur 6.127a en 6.127b

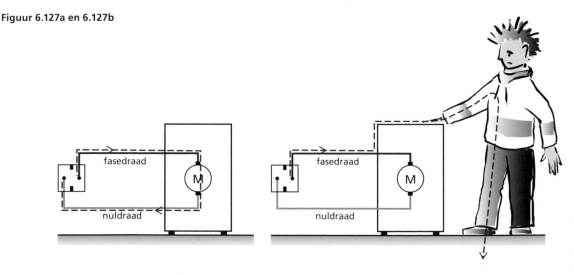

Stel dat zich het volgende voordoet. Het aansluitsnoer van een wasmachine is beschadigd waardoor de fasedraad elektrisch contact maakt met de kast van de wasmachine. Als je dan de kast aanraakt, gaat er een stroom door je lichaam lopen. Zie figuur 6.127b.

Als er dan stroom door je lichaam gaat voel je een schok. Dit kun je vermijden door de wasmachine te aarden.

De wasmachine wordt op de aardleiding aangesloten via een stekker en een stopcontact met randaarde. Het aansluitsnoer van de wasmachine bevat dus drie draden: een fasedraad, een nuldraad en een aarddraad. Daarbij heeft de fabrikant van de wasmachine ervoor gezorgd, dat de aarddraad in dit snoer met de kast van de wasmachine is verbonden.

Zou nu de fasedraad met de kast contact maken, dan loopt de stroom via de aarddraad en de aardleiding naar de aarde en niet via jou. Zie figuur 6.127c.

Figuur 6.127c

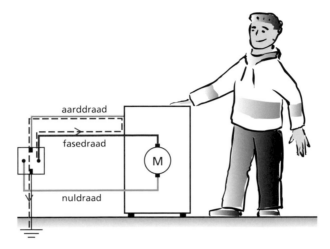

Bij het doorlopen van dit traject ondervindt de stroom namelijk een veel kleinere weerstand dan als de stroom via jouw lichaam naar de aarde zou lopen.
Omdat de weerstand heel klein is, wordt de stroomsterkte heel groot.
Er ontstaat dus kortsluiting. De groepszekering slaat dan door, waarna de stroomkring is verbroken.
Is er ook een aardlekschakelaar aanwezig, dan zal de aardlekschakelaar de stroom onderbreken in plaats van de zekering.

Gevaarlijke situaties
Soms wordt een groep beschermd door uitsluitend een zekering; soms door een zekering en een aardlekschakelaar. Blijkbaar is het niet voldoende om alle groepen door slechts één apparaat te laten beveiligen.
Om dit te kunnen begrijpen moet je eerst weten welke gevaarlijke situaties kunnen ontstaan.
Een grote stroomsterkte (groter dan de waarde van een zekering) kan ontstaan door overbelasting en door kortsluiting.
Een verschil in stroomsterkte tussen de fasedraad en nuldraad kan ontstaan door lekstromen.

Gevaarlijke situatie 1: overbelasting
Je spreekt van overbelasting als je op één groep tegelijkertijd meerdere apparaten inschakelt met een hoog vermogen. Een aardlekschakelaar zal de stroom niet kunnen onderbreken omdat er geen verschil in stroomsterkte is tussen de fasedraad en nuldraad. Een groepszekering kan dit wel.

Voorbeeld
Het elektrische vermogen van een kookplaat is 2,0 kW en van een afwas-
machine 2,2 kW. Bereken de stroomsterkte van een groep als beide apparaten op dezelfde groep zijn aangesloten.

Overzicht
Je kunt de stoomsterkte van de groep berekenen als het totale benodigde
vermogen van de groep en de spanning bekend zijn
Het totale benodigde vermogen van de groep kun je berekenen uit de
gegeven vermogens. De spanning is gelijk aan de netspanning.
Werkpad
Bereken het totale benodigde vermogen van de groep

$$P_{groep} = 2,0 + 2,2 = 4,2 \text{ kW} = 4,2 \cdot 10^3 \text{ W}$$

Geef de waarde van de netspanning

$$U_{net} = 230 \text{ V}$$

Bereken de stroomsterkte van de groep

$$P_{groep} = U \cdot I_{groep} \text{ dus } 4,2 \cdot 10^3 = 230 \cdot I_{groep} \text{ dus } I_{groep} = 18 \text{ A}$$

De totale stroomsterkte van de groep is groter dan 16 A, zodat een groepszekering van 16 A zal doorslaan.

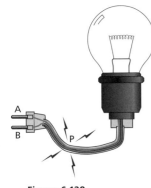

Figuur 6.128

Gevaarlijke situatie 2: kortsluiting
Als de fasedraad elektrisch contact maakt met de nuldraad of met de
aardedraad ontstaat kortsluiting.
In figuur 6.128 zie je een lamp die op een stopcontact kan worden aangesloten.

Bij P is de isolatie tussen de twee draden kapot. De draden kunnen daar
elektrisch contact met elkaar maken. Als de stekker in het stopcontact
wordt gestoken, staat de netspanning zowel over APB als over de lamp.
De weg APB heeft een veel kleinere weerstand dan de weg via de lamp.
De totale stroomsterkte wordt dus bepaald door de weerstand van APB.
Omdat de weerstand APB heel klein is, wordt de stroomsterkte heel groot,
zo'n 100 A of meer. We spreken dan van kortsluiting.

Gevaarlijke situatie 3: lekstromen
Een elektrische stroom wordt via de fasedraad aangevoerd en via de
nuldraad afgevoerd. Een lekstroom is elektrische stroom die via een
andere weg afgevoerd wordt naar de aarde.
Dit zal gebeuren als door condensvorming een geleidende verbinding
ontstaat tussen bijvoorbeeld de fasedraad en een andere deel van het
apparaat. Hierdoor kan dan een deel van de stroom naar de aarde lopen.
Er ontstaat dan een verschil in de stroomsterkte tussen de fasedraad en de
nuldraad. Een aardlekschakelaar zal dan de stroom kunnen onderbreken.
De stroomsterkte van een lekstroom is in het algemeen klein omdat condens
een grote weerstand heeft. Hierdoor zal de stroomsterkte in de fasedraad
niet sterk toenemen. Een zekering zal dus geen bescherming kunnen bieden.

Opmerking

1 De ruimtes waarin wasmachines staan zijn vaak (tijdelijk) vochtig. Door condensvorming kan er gemakkelijk lekstromen ontstaan. Dit betekent dat bij een wasmachine een aardlekschakelaar vaak de stroom zou kunnen onderbreken. Daarom zie je dat groepen met slechts één stopcontact waarop dan bijvoorbeeld een wasmachine aangesloten wordt vaak niet door een aardlekschakelaar beschermd worden. Is de groep wel beschermd door een aardlekschakelaar dan is dit een aardlekschakelaar die de stroom pas onderbreekt bij een stroomverschil van 0,5 A.

2 Veel apparaten zijn dubbel geïsoleerd. Om het elektrisch gedeelte bevindt zich dan een isolerend omhulsel en de kast van het apparaat zelf is ook van isolerend materiaal gemaakt. De kans op lekstromen is dan niet zo groot.

Op het apparaat staat dan het symbool ⬜. Zulke apparaten mogen dan ook zonder aarding worden gebruikt. Dubbele isolatie tref je vaak bij hobbygereedschap aan.

Samenvatting

In een huisinstallatie zijn alle apparaten parallel geschakeld op de netspanning. De draden bestaan uit een koperen kern en hebben een gekleurde isolatiemantel. De kleur van een isolatiemantel hoort bij een bepaalde toepassing en spanning ten opzichte van de aarde.

– fasedraad	bruin	230 V
– nuldraad	blauw	0 V
– aardleiding	geelgroen	0 V
– schakeldraad	zwart (verlenging van fasedraad) afhankelijk van de stand van schakelaar	0 V of 230 V

In de meterkast zijn de volgende onderdelen aanwezig:

– Een aansluitkast met hoofdzekering.
– Een kWh-meter. Deze meet de hoeveelheid elektrische energie die verbruikt wordt.
– Een hoofdschakelaar. Met de hoofdschakelaar kun je gehele huisinstallatie buiten werking zetten.
– Diverse groepen met elk een groepsschakelaar. Je kunt dan een gedeelte van de huisinstallatie uitschakelen.
 Een zekering voor elke groep. Deze onderbreekt de stroomtoevoer op het moment dat de stroomsterkte groter is dan de maximale stroomsterkte die op de zekering is vermeld. Een grote stroomsterkte kan ontstaan door kortsluiting of door overbelasting.
– Een aardlekschakelaar. Deze meet het verschil in stroomsterktes tussen de fasedraad en de nuldraad. De aardlekschakelaar reageert als het verschil groter is dan een bepaalde waarde. Dit verschil wordt veroorzaakt als er ergens een klein gedeelte van de stroom weglekt naar de aarde.

---

73 Er komt een elektriciteitskabel je woning binnen. Deze bestaat uit twee elektriciteitsdraden: de fasedraad en de nuldraad. In de groepenkast wordt de elektriciteitskabel in een aantal groepen gesplitst.

a   Noem twee voordelen hiervan.

Hoe meer apparaten ingeschakeld zijn des te meer elektrische energie wordt omgezet. Hoe meer apparaten ingeschakeld zijn des te groter is de stroomsterkte in de fasedraad. Als de stroomsterkte binnen een groep te groot wordt, zal de zekering 'doorslaan'.

b   Heet dit kortsluiting of overbelasting?

Zekeringen worden uitsluitend in de fasedraad opgenomen en niet in de nuldraad.

c   Verklaar dit.

Je hoort mensen vaak zeggen dat bepaalde apparaten *stroomvreters* zijn. Zij zeggen dan eigelijk dat deze apparaten een groot *stroomverbruik* hebben. Het woord stroomverbruik is echter fout.

d   Leg uit waarom de stroom niet verbruikt wordt.

Als in een apparaat per seconde veel elektrische energie wordt omgezet, is de stroomsterkte wel groot.

e   Leg dit uit.

74 In een woning komen vier draden voor. In tabel 6.13 zie je de kleur van elke draad en de spanning van elke draad ten opzichte van de aarde.

Tabel 6.13

	kleur	spanning (V)
fasedraad	bruin	230
nuldraad	blauw	0
aarddraad	geelgroen	0
schakeldraad	zwart	0/230

De nuldraad en de aarddraad hebben dezelfde spanning ten opzichte van de aarde. De functie van deze twee draden is echter verschillend.

a   Wat is de functie van de nuldraad?

b   Wat is de functie van de aarddraad?

Aanraken van de blauwe nuldraad en de geelgroene aardedraad is in principe niet gevaarlijk. Toch moet je dit niet zo maar proberen.

c   Geef hiervoor een reden.

Bij schakeldraad staat 0/230.

d   Wat wordt hiermee bedoeld?

De draden zijn niet allemaal even dik. De doorsnede van een schakeldraad is meestal 1,5 mm^2. De andere draden zijn 2,5 mm^2.

e   Leg uit waarom een schakeldraad niet net zo dik als de andere draden hoeft te zijn.

75 Komt je lichaam, direct of indirect, in contact met de fasedraad, dan biedt een zekering geen enkele beveiliging.
a   Leg uit waarom een zekering geen bescherming biedt.
Een aardlekschakelaar biedt wel beveiliging als je in contact komt met de fasedraad.
b   Leg uit waarom biedt een aardlekschakelaar wel bescherming biedt.

Opgaven

76 Deze opgave heeft betrekking op een huisinstallatie met drie groepen. Twee groepen hebben een zekering van 16 A, de resterende groep heeft er een van 10 A. De hoofdzekering bedraagt 25 A.
a   Bereken het maximale vermogen dat kan worden opgenomen.
Het vaste lichtpunt en alle stopcontacten in de keuken zijn op één groep geschakeld, waarvan de zekering 16 A is. Op het vaste lichtpunt is een lamp van 75 W aangesloten. Op de stopcontacten zijn aangesloten: een koelkast (150 W), een diepvrieskist (250 W), een afzuigkap (100 W), een magnetron (850 W) en een vaatwasmachine (2300 W).
b   Ga na of al deze apparaten tegelijk kunnen functioneren.

77 In een kilowattuur-meter bevindt zich een schijf, die gaat draaien als er elektrische energie wordt omgezet. Op de kWh-meter staat vermeld hoeveel omwentelingen de schijf maakt bij verbruik van 1 kWh aan elektrische energie. Voor een bepaalde kWh-meter zijn dat 1875 omwentelingen.
a   Bereken de hoeveelheid energie (uitgedrukt in joule), waarmee één omwenteling overeenkomt.
Om met deze kWh-meter het vermogen van een koffiezetapparaat te bepalen, gaat Lisette als volgt te werk. Is het koffiezetapparaat ingeschakeld, dan constateert Lisette dat de schijf in 60 seconden 51 omwentelingen maakt. Is het apparaat uitgezet, dan blijkt de schijf in 60 seconden nog maar 14 omwentelingen te maken.
b   Bepaal het vermogen van het koffiezetapparaat.

78 Een gedeelte van een huisinstallatie bestaat uit één stopcontact. Op dit stopcontact is een lamp aangesloten. Het stopcontact met lamp is aangesloten op een groep. Zie figuur 6.129.
Er kan op drie manieren kortsluiting ontstaan tussen de draden die naar het stopcontact leiden. Zie figuren 6.130a, b en c
In de figuren 6.130a, b en c is telkens met een gestreepte lijn aangegeven hoe de stroom loopt bij een kortsluiting. Als er kortsluiting ontstaat moet een zekering of een aardlekschakelaar de stroom onderbreken. Stel dat de groep alleen met een zekering is beveiligd en niet met een aardlekschakelaar.
a   In welk(e) van de drie gevallen van kortsluiting zal de zekering de stroom niet onderbreken? Geef een toelichting.
Stel dat de groep wel met een aardlekschakelaar is beveiligd en niet met een zekering.

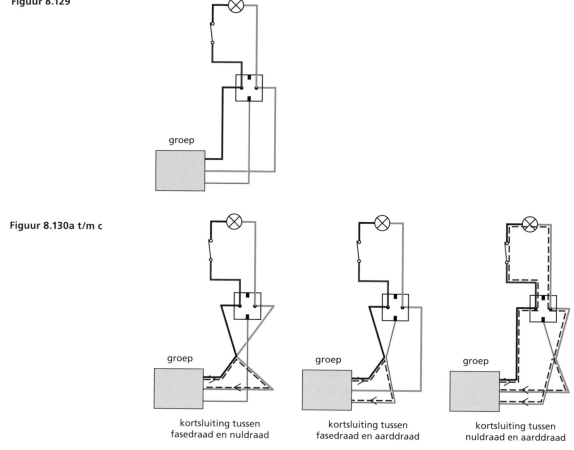

| kortsluiting tussen fasedraad en nuldraad | kortsluiting tussen fasedraad en aarddraad | kortsluiting tussen nuldraad en aarddraad |

b   In welk(e) van de drie gevallen van kortsluiting zal de aardlekschakelaar de stroom onderbreken? Geef een toelichting.
Stel dat de groep is beveiligd met een zekering en een aardlekschakelaar.
Een aardlekschakelaar reageert vlugger dan een zekering. In elk van de
drie gevallen wordt de stroom onderbroken.
c   In welk(e) van de drie gevallen van kortsluiting zal de zekering de
stroom onderbreken? Geef een toelichting.

79 Een wasmachine moet altijd aangesloten worden op een geaard stopcontact.
a   Hoe kun je zien dat een elektrisch apparaat in principe aangesloten
moet worden op een geaard stopcontact?
De wasmachine is aangesloten op een groep die zowel door een zekering
als door een aardlekschakelaar beschermd wordt. Als gevolg van condens
ontstaat in de wasmachine een (slecht geleidende) verbinding tussen de
fasedraad en een geaard onderdeel van de wasmachine.
b   Leg uit dat de zekering niet zal reageren, maar de aardlekschakelaar wel.
In een wasmachine ontstaat kortsluiting doordat de fasedraad elektrisch
contact maakt met de nuldraad. De zekering 'slaat door'. De aardleksca-
kelaar heeft dan niet gereageerd.
c   Leg dit uit.

80 **Gebruik het werkboek voor het maken deze opgave.**
In een studeerkamer zijn een lamp, een schakelaar en een stopcontact
aanwezig. In figuur 6.131 zie je hoe de lamp en de schakelaar op de
centrale fasedraad en nuldraad zijn aangesloten.

Figuur 6.131

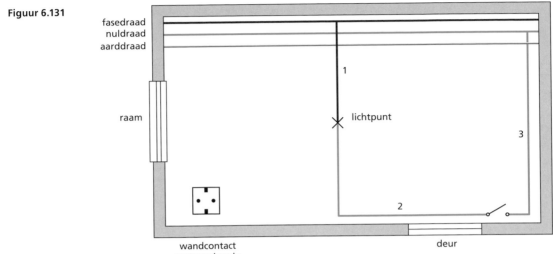

De lamp kan zonder gevaar aan- en uitgeschakeld worden. Toch is de
bedrading niet juist. Figuur 6.131 staat ook in je werkboek, maar dan
zonder de bedrading waarmee de lamp en de schakelaar aangesloten zijn.
a Teken in figuur W6.14 in het werkboek de bedrading waarmee de lamp
en de schakelaar aangesloten moeten zijn op de centrale fase-, nul- en
aarddraad. Licht je antwoord toe.
Het stopcontact met randaarde is helemaal niet aangesloten.
b Teken in figuur W6.14 in het werkboek de bedrading waarmee het stopcontact aangesloten moet zijn op de centrale fase-, nul- en aarddraad.

81 **Gebruik het werkboek voor het maken van deze opgave.**
In figuur 6.132 zie je een zogeheten hotelschakeling in een trappenhuis.

Figuur 6.132

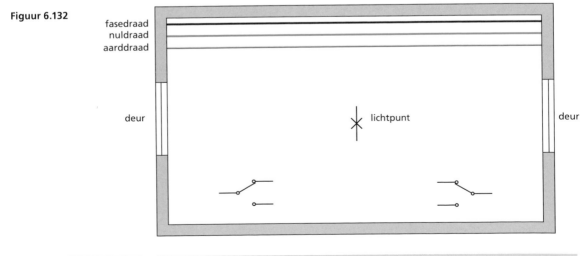

Je kunt met deze schakeling onderaan de trap het licht aandoen en vervolgens bovenaan het licht weer uitdoen (en omgekeerd). De schakelaars en de lamp zijn al aangegeven. De centrale fasedraad, nuldraad en aarddraad zijn ook aangegeven. De overige bedrading ontbreekt echter nog. Figuur 6.132 staat ook in het werkboek.
Teken in figuur W6.15 in het werkboek de bedrading zodat er een goed werkende hotelschakeling ontstaat.

82 **Gebruik het werkboek voor het maken van deze opgave.**
In figuur 6.133 zie je een doka-schakeling. Een doka is een donkere kamer die gebruikt wordt voor het ontwikkelen van foto's. In figuur 6.133 ontbreekt een gedeelte van de bedrading nog.

Figuur 6.133

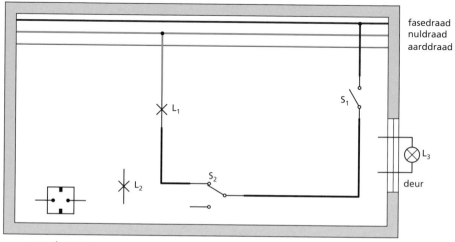

wandcontact
met randaarde

Je kunt aan de lamp L_3 boven de deur buiten de doka zien of de doka bezet is. Met de schakelaar S_1 naast de deur kun je de centrale lamp L_1 in de doka aandoen. Deze lamp geeft dan 'wit' licht. Met schakelaar S_2 kun je de centrale lamp in de doka uitdoen en tegelijkertijd twee lampen aandoen: de rode lamp L_2 in de doka én de lamp L_3 buiten de doka. Verder is er een geaard stopcontact te zien. Hierop kan apparatuur aangesloten worden. De bedrading waarmee L_1 met de schakelaar bij de deur aangedaan kan worden is al weergegeven.
De rest van de bedrading waarmee de schakelaars, de lampen en het stopcontact op de centrale fasedraad, nuldraad en aarddraad aangesloten moeten zijn, ontbreekt nog. Figuur 6.133 staat ook in het werkboek.
Teken in figuur W 6.16 in het werkboek de bedrading zodat een goed werkende doka-schakeling ontstaat.

In het dagelijks leven maak je veel gebruik van apparaten die werken op elektrische energie. Deze elektrische energie wordt door de elektrische stroom aangevoerd.
Elektrische stroom is een transport van geladen deeltjes. In vaste stoffen zoals een metaal zijn dat vrije elektronen. Ook andere geladen deeltjes zoals ionen kunnen zorgen voor geleiding.

Een temperatuursensor, een lichtsensor maar ook diode en een LED worden gemaakt met behulp van halfgeleiders.
Omdat een halfgeleider een vaste stof is, verwacht je dat de geleiding door elektronen plaatsvindt. Toch klopt dit niet helemaal. De geleiding in een halfgeleider kan namelijk plaatsvinden door elektronen en ook door *gaten*! Wil je meer weten over de geleiding in halfgeleiders dan kun je hierover op www.sysnat.nl een artikel vinden. Op de website vindt je ook een aantal brede opgaven bij dit hoofdstuk.

Om een apparaat op elektrische energie te kunnen laten werken moet het apparaat in een gesloten stroomkring met een spanningsbron zijn opgenomen. In een schakelschema zie je welke onderdelen in een schakeling zijn opgenomen.
De weerstand van het apparaat en de spanning van de bron bepalen de stroomsterkte in de draden. Bekende spanningsbronnen zijn de batterij, de accu en het voedingskastje.

Met een voltmeter kun je de spanning en met een ampèremeter kun je de stroomsterkte in een stroomkring bepalen. Met een multimeter kun je zowel de spanning als de stroomsterkte bepalen. Met een multimeter kun je ook direct de weerstand bepalen. Dat mag echter niet in een gesloten stroomkring.

In een stroomkring kunnen naast de spanningsbron meerdere apparaten opgenomen zijn. De schakeling is dan een serieschakeling of een parallel-schakeling. Soms is een schakeling een combinatie van een serie- en een parallelschakeling.
Voor de serie- en voor de parallelschakeling gelden een paar kenmerken. Hiermee kun je uitleggen en berekenen wat er voor de spanning, de stroomsterkte en de weerstand geldt als er een of meerdere apparaten zijn aangesloten.

De weerstand van een metaaldraad hangt af van de lengte, de (dwars)-doorsnede en de soortelijke weerstand. Ook de temperatuur van de draad speelt een rol.

Een schuifweerstand of een draaiweerstand bestaat in principe uit een lange metaaldraad die om een cilinder van isolerend materiaal is gewikkeld.
Is de spanning van een spanningsbron te hoog dan kun je een schuifweerstand gebruiken om een deel van de spanning 'weg te nemen'. Je kunt dan de schuifweerstand als variabele weerstand gebruiken of als spanningsdeler.
Bij de schakeling waarin je de schuifweerstand gebruikt als variabele weerstand gebruik je twee aansluitpunten. De schakeling is een serieschakeling.
Bij de schakeling waarin je de schuifweerstand als spanningdeler gebruikt, gebruik je drie aansluitpunten. Deze schakeling is te beschouwen als twee parallel geschakelde weerstanden, in serie met één weerstand.

In de laatste paragraaf kwam de huisinstallatie aan de orde. In een huisinstallatie wordt gebruik gemaakt van parallelschakelingen. Soms zijn er drie in plaats van twee draden nodig om een apparaat veilig te laten werken.
In de meterkast is apparatuur ingebouwd om de huisinstallatie goed en veilig te laten werken.

Gegevens die betrekking hebben op dit hoofdstuk
De formules die in dit hoofdstuk gebruikt worden zijn grotendeels terug te vinden in BINAS.
In tabel 35D 1 Stromende elektriciteit staan de volgende formules:

wet van Ohm	$U = I \cdot R$
vermogen elektrische stroom	$P = U \cdot I = I^2 \cdot R = \dfrac{U^2}{R} = \dfrac{E}{t}$
energie elektrische stroom	$E = P \cdot t$
stroomsterkte bij	
serieschakeling	$I = I_1 = I_2 = ...$
parallelschakling	$I = I_1 + I_2 + ...$
spanning bij	
serieschakeling	$U = U_1 + U_2 + ...$
parallelschakeling	$U = U_1 = U_2 = ...$
vervangingsweerstand bij	
serieschakeling	$R_v = R_1 + R_2 + ...$
parallelschakeling	$\dfrac{1}{R_v} = \dfrac{1}{R_1} + \dfrac{1}{R_2} + ...$
weerstand van een homogene draad	$R = \rho \cdot \dfrac{l}{A}$
	opmerking: het symbool ρ voor soortelijke weerstand wordt ook voor dichtheid gebruikt

Onderstaande formule is niet opgenomen in BINAS:

verband stroomsterkte en lading	$I = \dfrac{Q}{t}$

In tabel 7 Waarden van enige constanten en grootheden vind je onder andere:

e	elementair ladingskwantum	$1{,}602 \cdot 10^{-19}$ C
m_e	rustmassa elektron	$0{,}000910939 \cdot 10^{-27}$ kg

In tabel 8, 9 en 10 met gegevens van allerlei materialen kun je onder andere de soortelijke weerstand opzoeken.
In tabel 16E Kleurcodes staat de verklaring van de kleuren van de ringen op weerstanden.
In tabel 16F Elektrotechnische symbolen staan alle symbolen die je nodig hebt voor het schematisch tekenen van schakelingen.

Vooruitblik

Een huisinstallatie werkt op wisselspanning. De formules die in dit hoofdstuk besproken zijn, mag je toepassen bij schakelingen die werken op gelijkspanning maar ook bij schakelingen die werken op wisselspanning. Een stopcontact aangesloten op het elektriciteitsnet kun je dan ook beschouwen als een gelijkspanningsbron met een spanning van 230 V.
Veel apparaten werken in huis op een lagere spanning dan 230 V. Denk aan de deurbel, aan speelgoed, aan audio- en videoapparatuur en aan gereedschap. De lagere spanning krijg je uit de netspanning met behulp van een transformator of een adapter.
In een elektriciteitscentrale wordt met behulp van een generator elektrische energie geproduceerd uit andere energievormen. Een generator is eigenlijk een zeer grote dynamo. Bij het transport van de elektrische energie naar woningen spelen hoogspanningskabels, verdeelstations en transformatorhuisjes een belangrijke rol.
De productie en het transport van elektrische energie komt aan bod in het hoofdstuk 'Opwekking en transport van elektrische energie'. Dit onderwerp wordt in het tweede deel van de methode besproken. In dit deel komt ook de werking van de automatische zekering en de aardlekschakelaar aan de orde.

Met behulp van sensoren kun je automatische systemen maken. Bijvoorbeeld alarmsystemen of systemen die zorgen voor bewaking van het milieu. Ook op school ga je eenvoudige systemen maken. Hierbij maak je waarschijnlijk gebruik van een systeembord. Zie figuur 6.134.

Het gebruik van het systeembord komt in het tweede deel in het hoofdstuk '*Signaalverwerking*' aan de orde.

Figuur 6.134

Register

A
aarddraad 159, 167
aardlekschakelaar 165, 169
accommoderen 55, 72
ampèremeter 91, 93, 175
analoge fotocamera 63
atoom 78
atoommodel van Rutherford 78
automatische zekering 165

B
batterij 82
beamer 63
beeld 12, 38 e.v.
  - reëel beeld 12, 38, 41
  - virtueel beeld 12, 39, 40, 41
beeldafstand b 38
bijas 29, 32
bijbrandpunt 32, 34
bijziend 58
bolle lens 29
brandpunt 31, 34
brandpuntsafstand 31, 72
brandvlak 33, 34
breking van licht 15, 20
brekingsindex 18, 20
brekingswet 18

C
cd-speler 74
coaxkabel 24
constructiestralen 34, 38, 46
convergente lichtbundel 10

D
diaprojector 61
diffuse weerkaatsing 11
digitale fotocamera 65
diode 152, 154
dioptrie 48
dispersie 25
divergente lichtbundel 10
draaiweerstand 136 e.v.

E
eenpolige schakelaar 160
elektrisch vermogen 104 e.v.

elektrische energie 86, 104 e.v.
elektrische lading 79
elektrische spanning 81 e.v.
elektrische stroom 81, 83, 86 e.v.
elektron 78, 79
elektrotechnische symbolen 89
elementaire lading 80
energie, elektrische 86, 104 e.v.
evenwijdige lichtbundel 10

F
fasedraad 159
fotocamera
  - analoge fotocamera 63
  - digitale fotocamera 65
  - spiegelreflexcamera 64

G
geleider 81, 96
geleidingsvermogen 96
gemengde schakeling 118
glasachtig lichaam 55
glasvezel 24
grenshoek g 19
groep 164
groepenkast 162

H
halfgeleider 148, 175
halfschaduw 9
hoek van breking 16
hoek van inval 11
hoek van terugkaatsing 11
holle lens 30
hoofdas 29
hoofdbrandpunt 32
hoofdschakelaar 162, 169
hoornvlies 55
huisaansluitkast 161

I
ion 78
isolator 81

K
kernschaduw 9

Lijst van uitkomsten

De uitkomsten hieronder hebben uitsluitend betrekking op de opgaven, niet op de vragen. De antwoorden op de vragen zijn in de theorie van de betreffende paragraaf te vinden.

Hoofdstuk 5

10   a $1{,}34 \cdot 10^8$ s
     b 4,26 lichtjaar
18   1,3
19   a 21°
     b 0,625
     c 67°
20   a 26°
21   d 42°
22   a A
     b 1,3
     c water
35   a positief
     b negatief
     c negatief
     d positief
42   b minder lichtsterk
43   a (−7,5; 2,5)
44   a ja
     b nee
     c nee
45   a 250 cm
     c $1{,}4 \cdot 10^9$ m
     d feller
     e groter
48   a $f = 12$ cm, $N = 4{,}0$
     b $b = 70$ cm, $N = 2{,}5$
     c $b = 80$ cm, $f = 19$ cm
     d $v = 14$ cm, $b = 84$ cm
49   0,89 cm
50   a 12 cm
     b wel scherp
     c 64 %
     d naar de dia toe
     e 50
51   a 5,1 m
     b minder lichtsterk
     c niets
52   a 46 m
     b lens B

53   30 mm
54   a 15 cm
     b voorwerp 28 cm naar links
       lens 30 cm naar links
55   b 70 cm
     c 8,0 cm
     d kleiner
56   a op de LDR
     b 15 cm
62   a b
     b f
68   a 27,3 dpt
     b 2,08 cm
     c 1,7 m
69   b 6,0°
70   a 1,6 W/cm²
     c 6,0 cm, 3,0 cm
     d $3{,}0 \cdot 10^{-3}$ cm
     e 1,5 cm

Hoofdstuk 6

1   b $1{,}6021765 \cdot 10^{-19}$ C
     c $1{,}9 \cdot 10^{-18}$ C
     e Nadieh heeft gelijk
2   a (vrije) elektronen
     b isolator
3   a bij de lange dunne streep
     b 2,0 C
     c 1,0 C
4   a 230 V
6   a 230 V
     b $2{,}16 \cdot 10^5$ J
7   a tekort
     b $4{,}5 \cdot 10^{13}$ elektronen
     c $0{,}000910939 \cdot 10^{-27}$ kg
     d $4{,}1 \cdot 10^{-17}$ kg
11   c ampèremeter
12   a van P via L naar Q
     b van Q via L naar P
     c geen verschil
     d geen verschil
     e kleiner
     f geen verschil
13   a figuren 6.23a,b en d
     b figuren 6.23a,b en d
15   b 8,6 C
16   b $1{,}2 \cdot 10^5$ C

17 b Ja
   c Ja
18 a 0,42 A
   b 0,12 A
   c lampje 2
19 a $U = IR$
20 a grafiek 2
   b $1,3 \cdot 10^2\ \Omega$
   c Nee
21 a Nee
   b geleider A
22 13 Ω
23 a 58 Ω
   b 4,0 mA
   c 0,80 V
   d 25 kΩ
   e 2,0 µA
24 e 47 Ω
27 a $P = U \cdot I$
   b $P = \dfrac{\Delta E}{t}$
28 a kilowatt maal uur
   b $1,4 \cdot 10^7$ J
30   $2,4 \cdot 10^5$ J
31 a 0,26 A
   b 60 kWh
   c 57 kWh
33 a $6,0 \cdot 10^{12}$ W
   b 360 kWh
   c 0,090 gezinnen
34   92%
35 b $1,4 \cdot 10^{-3}$ kWh
   c € $1,0 \cdot 10^3$
36 a $3,58 \cdot 10^3$ N
   b 680 W
   c 3,8 A
37 a $4,8 \cdot 10^3\ \Omega$
   b 3,0 W
   c 27%
38   6,8 h
39 b minder
42 a kleiner
   b groter
   c groter
   d kleiner
43 a ja
   b ja
   c minder fel
   d kleiner

   e nee
   f nee
   g even fel
   h groter
44   70 Ω
45 a 7,5 Ω
   b minimale waarde
46 b 0,50 A
   c parallelschakeling
47 a 2,8 V
   b 0,62 A
   c 3,0 V
   d groter
44 a 0,96 A
   b lampje A
   c 0,35 A
   d lampje B
48 a $1,2 \cdot 10^3$ V
49 a aanwijzing 1
   b 30 Ω
50 a Ωm
   b weerstand
   c lengte en dikte meten
   d temperatuur
52 c koper
53 a $1,1 \cdot 10^2\ \Omega$
   b lampje 2
54 a $1,1 \cdot 10^{-6}\ \Omega$m
   b nichroom
   c 2,0 m; 0,50 mm; 47 Ω
55 a $8,8 \cdot 10^2\ \Omega$
   b $1,3 \cdot 10^2$ m
   c te klein
56 b 30 m
57 a staaf A
59   in stand B
   c X = C en Y = B
62 a 64,4 W
   c 0,270 A
   d 0,11 A
63 b 30 Ω
   d 3,0 V
   e kleiner
   f verder van A
64 b 13 Ω
65 b 3,6 V
69 b 8,0 V
70 a minpool
71 b 20 °C

72 a kleiner
   b bij 500 Ω
73 b overbelasting
76 a $5{,}8 \cdot 10^3$ W
   b smelt door
77 a $1{,}9 \cdot 10^3$ J
   b $1{,}2 \cdot 10^3$ W

Illustratieverantwoording

De uitgever heeft ernaar gestreefd de auteursrechten op fragmenten en illustraties te regelen volgens de wettelijke bepalingen. Degenen die desondanks menen zekere rechten te kunnen doen gelden, kunnen zich alsnog tot de uitgever wenden.

Foto's
ANP Photo, Den Haag
Catchlight, Huizen
Corbis, Amsterdam
DTL Lasertechnologie BV, Tynaarlo
Hollandse Hoogte, Amsterdam
Koert van der Lingen, Ede
John van Raak, Chaam
Roeland van Santbrink, Bussum
Rob Sluijter, De Bilt
Traffic Linq, Zoetermeer
Michiel Wijnbergh, Driebergen
Maarten van Woerkom, Almelo
Jacqueline Wooning, Wijk bij Duurstede

Tekeningen
Studio Bassa, Culemborg
Erik Eshuis, Groningen
Frans Hessels, Almere